Chronique d'un Départ

*afin de guider ceux
qui nous quittent*

Anne et Daniel Meurois-Givaudan

Chronique d'un Départ

*afin de guider ceux
qui nous quittent*

Editions Amrita

DES MEMES AUTEURS

*Le catalogue des Éditions Amrita est adressé
franco sur simple demande*

Éditions AMRITA
anciennes éditions Arista
24 580 Plazac-Rouffignac

Tél. : 53 50.79.54 - Fax : 53 50.80.20

Sommaire

Pour Monique et Guy
Christine et Pierre
Catherine et Pierre
qui perçoivent si bien les liens
qui unissent l'âme et le corps.

Introduction

On a déjà beaucoup écrit et lu sur le thème de la mort. Aujourd'hui, les récits de N.D.E. ou de contacts médiumniques foisonnent plus que jamais. Cependant, s'il nous a paru utile d'offrir notre témoignage sur le sujet c'est parce que sa nature est peut-être un peu différente. En effet, grâce à une capacité de décorporation que nous utilisons depuis plus de vingt ans, il nous a été possible de suivre pas à pas l'itinéraire d'un être qu'une maladie grave vouait, à brève échéance, à la mort.

Ce livre est donc le récit de son approche vécue « de l'intérieur », semaine après semaine, sans édulcorant. C'est peut-être avant tout le livre d'une métamorphose, celle d'un être qui, comme tant d'autres, a souffert, s'est révolté contre sa déchéance puis a appris à découvrir au fond de lui-même une source de lumière et d'espoir qu'il croyait tarie.

Sujet délicat s'il en est... Dès que l'on aborde semblable matière, nos sociétés voient ressurgir leurs vieilles peurs, ouvrent leurs réservoirs d'émotions incontrôlées, leurs blocages... bref, refusent de vouloir y voir clair et de se rendre à certaines évidences.

C'est en vue d'activer un peu plus le désamorçage de tout cela que nous nous sommes donc efforcés d'accompagner du mieux possible, pendant les cinq derniers mois de sa vie, Elisabeth, une femme comme il en existe tant, atteinte d'un cancer.

Nous ne connaissions pas Elisabeth... Il a fallu que nous nous apprivoisions mutuellement et, sans l'amitié née entre nous, sans sa solide volonté d'ouvrir son cœur, ce livre n'aurait jamais vu le jour. C'est pour cela aussi qu'il est un peu le sien, au-delà de ce que l'on appelle de façon ignorante et plate « la mort ».

Qu'Elisabeth soit donc remerciée, car son désir de nous offrir les mutations de son âme jusque dans les semaines qui ont suivi son départ a été constamment motivé par une indéfectible volonté de servir l'humanité. En effet, son témoignage au seuil de la mort se révèle avant tout être une marche vers l'Amour et vers la Vie au sens plein du terme.

Ainsi, pendant les mois passés en sa compagnie, nous avons assisté à l'éclosion d'une âme bien plus qu'à une mort. C'est cela que nous tenons à souligner, car les paroles que nous a confiées Elisabeth n'ont pour but que de générer l'espérance, loin de tout contexte morbide. Nous les avons ressenties, nous les avons consignées comme une marche supplémentaire afin de mieux aider ceux qui nous quittent mais aussi afin de mieux vivre notre présent, de mieux apprécier le sens de la vie qui nous est offerte.

Puissent leur authenticité et l'amour dont elles ont été imprégnées aider chacun de nous à devenir un peu plus humain... en n'oubliant pas la part du Divin qui demande à éclore.

Anne et Daniel Meurois-Givaudan

Pour l'envol d'une âme...

Dans la chambre tapissée de fleurs, une silhouette s'est levée au cœur de la pénombre. Elle a quitté son lit de rotin puis s'est abandonnée dans un fauteuil aux larges bras. A travers les stores ajourés d'une baie vitrée, la lumière bleue de la lune vient à peine caresser son visage. C'est celui d'une femme d'une cinquantaine d'années aux traits fins et à l'allure un peu altière. Derrière la lourdeur de ses paupières fermées, on devine une lassitude indicible, presque le soupir d'une âme qui cherche à poser ses valises.

Qui est-elle cette femme ? A vrai dire, peu importe. Sans doute d'ailleurs est-elle semblable à beaucoup, un jour heureuse, peut-être même choyée et puis l'autre égratignée, meurtrie par la vie. Quoi de plus banal ? Une existence comme des millions d'autres existences... Et pourtant... pourtant, c'est justement pour cela que cette nuit nous sommes à ses côtés, parce que derrière son histoire banale il y a un peu de celle du quotidien de toute une humanité qui aime, souffre et s'interroge. Parce que derrière le miroir embué de la banalité de chacun, il peut y avoir une source d'émerveillement...

Si nous sommes présents à ses côtés ce n'est pas avec notre corps physique mais avec celui de notre conscience. Depuis plus de vingt années que la faculté de nous décorporer s'est éveillée en nous, la Vie nous a souvent amenés ainsi au chevet d'êtres en souffrance, parfois qui se rongent et toujours qui se questionnent... Cette fois-ci pourtant ne sera pas une de plus, analogue à beaucoup d'autres, même si douleurs et peines sont toujours uniques et à nulles autres comparables pour qui les vit.

Non, nous le savons déjà, cette fois-ci ce sera bien différent. C'est guidés par un fil de lumière plus insistant que d'autres que nous avons pénétré dans cette chambre inconnue et au chevet de cette femme dont nous ignorons encore jusqu'au nom. Ce fil nous a dit quelque chose comme : « Laissez-vous faire... C'est là qu'il vous faut aller maintenant... Ce n'est pas votre mental qui doit s'activer... mais votre cœur qui doit panser... une plaie... pour tant d'autres plaies. »

Instantanément alors, les yeux de notre âme ont perçu une maison, une maison que notre être tout entier a rejointe afin de s'y fondre. C'est une maison blanche au bout d'une impasse, non loin d'une plage. Une maison toute simple, propre et nette comme la chambre qui s'est ouverte à nous et d'où nous percevons le ressac lancinant des vagues.

De temps à autre, au fond de son fauteuil, la silhouette féminine qui l'habite est animée d'un léger soubresaut puis porte une main à sa gorge pour la laisser enfin retomber lentement.

16

Bientôt, c'est une sorte de tendresse qui nous pousse vers notre hôtesse involontaire, elle que nous ne connaissons pas mais qui sera peut-être notre compagne, notre complice de quelques jours ou de quelques mois.

Les minutes passent paisiblement et notre conscience se prend à respirer au rythme de sa poitrine qui se soulève presque imperceptiblement. Qu'y-a-t-il au delà des longs cheveux blonds emmêlés qui lui dissimulent maintenant une partie du visage ? Et la commissure un peu tombante de ses lèvres, quelle histoire tente-t-elle de murmurer ?

« Elle s'appelle Elisabeth... Elle est atteinte d'un cancer généralisé... Elle a appris la nouvelle il y a quelques jours seulement. »

C'est une voix chaude et paisible qui, au centre de nous-même, a prononcé ces mots.

Instantanément, nous percevons une présence de lumière, légèrement densifiée, sur notre côté gauche. Nous nous tournons dans sa direction et la voici qui se densifie plus encore afin de nous délivrer son message.

« Oui, elle se nomme Elisabeth et c'est elle que la Vie semble avoir désignée pour vous servir d'amie et de guide pendant quelques mois. »

« De guide ? »

« Son existence terrestre touche à sa fin, voyez-vous... Même si consciemment elle le refuse encore, elle sait parfaitement qu'elle ne dispose plus que de quelques mois. C'est une femme solide et lucide... un être de cœur également. Nous souhaiterions donc que vous puissiez la suivre, pas à pas, semaine après semaine, jusqu'à l'instant même de son départ ; nous voudrions qu'elle vous guide enfin, jour après jour au grè de sa compréhension de ce que vous appelez encore la *mort*. »

« Cela sera-t-il donc si utile ? »

« Vous l'aiderez à franchir la frontière... et son témoignage éclairera la foule innombrable de ceux qui partent et de leurs proches qui les accompagnent. »

« Mais, dis-nous, que sait-elle de ce travail, de notre rencontre, de nous ? »

« Consciemment rien... ou si peu ! En cherchant dans le livre de son passé, nous avons seulement vu que son âme était prête, prête comme un fruit qui arrive à maturation et qui accepte de se donner... Car il s'agit d'un don... non pas d'un travail ! Vôtre tâche première sera d'apprivoiser son âme, de lui révéler sa maturité. Ensuite, elle vous ouvrira son cœur et vous y lirez avec son aide afin que son départ soit source de croissance pour tous ceux qui s'interrogent encore sur la souffrance et la destruction du corps. C'est un guide pour l'envol de l'âme qui doit naître de tout cela ! »

Et tandis que la présence de lumière achève de prononcer ces mots nous devinons comme un immense sourire qui l'habite.

Sourire face à la mort... notre chemin nous y a si souvent amenés depuis toutes ces années... mais comment faire comprendre cela à autrui ? Tant d'hommes et de femmes se refusent encore à regarder avec simplicité et amour un portail qu'il leur faudra franchir un jour ou l'autre... et aussi faire franchir à ceux qu'ils aiment.

« C'est pourtant ce sourire qu'il importe de faire naître ! Un sourire de paix. Mais... regardez, regardez, voici votre nouvelle amie qui vient vers vous. »

Alors, tout doucement, tandis que l'être de lumière estompe sa présence, quelque chose se produit à deux pas de nous, dans le fauteuil aux larges bras. Du corps dia-

18

phane d'Elisabeth qui vient de sombrer dans le sommeil le plus profond, une clarté blanchâtre se dégage, une clarté qui a son visage, ses longs cheveux et cet air si las... C'est le corps de la conscience d'Elisabeth qui vient nous rejoindre comme s'il savait déjà que nous l'attendions. Il a les yeux grands ouverts et c'est la première fois que nous découvrons leur profondeur. Très bleus, un peu égarés, ils paraissent être une question vivante, prêts à appeler à eux la totalité de l'univers.

« Elisabeth... » faisons-nous pour nous assurer qu'elle perçoit bien notre présence.

La silhouette féminine est maintenant droite, face à nous, à quelques pas seulement. Nous la voyons encore telle une brume qui se condense cependant que son vêtement de chair s'est affaissé dans le fauteuil, derrière elle.

« Elisabeth ? »

« Oui... Qui êtes-vous ?... Alors c'est fini... ? »

« Fini ? Mais qu'est-ce donc qui est fini ? »

« Je ne sais pas... ma vie, peut-être. Mais qui êtes-vous ? »

Avant toute réponse nous ne pouvons retenir un élan qui nous pousse à nous rapprocher d'elle et à lui prendre les mains.

« Nous sommes des amis et nous allons seulement t'aider à comprendre ce qui se passe. »

« Je suis morte, n'est-ce pas ? Je ne sais pas du tout ce que cela signifie mais dites-le moi franchement. »

« Non, tu ne l'es pas... il est exact que ta vie terrestre approche de sa fin. Tu le sais, cela t'a été dit en quelque sorte ; mais il est exact aussi que tu disposes d'un peu de temps encore. Notre présence, Elisabeth... »

« Vous connaissez mon nom ? »

« Bien sûr, puisque nous sommes des amis. Des amis que tu ne connais pas encore, mais des amis tout de même ! Regarde Elisabeth, nous sommes dans ta chambre. Ton corps sommeille là juste à côté de toi et c'est ton âme qui s'adresse à nos âmes. N'est-ce pas magnifique ? »

Des lèvres fines et crispées d'Elisabeth se dégage enfin un sourire de détente et, par une légère pression, ses mains répondent aux nôtres.

« Je ne comprends pas encore vraiment tout ce que cela signifie mais c'est étrange, cela résonne bien en moi... très profondément. Comme quelque chose de normal, de déjà vécu ou de prévu. »

Cette fois, nous sentons que le dialogue est engagé. Une petite étincelle qui en dit long vient de jaillir dans le regard de notre interlocutrice. Il faut juste que nos âmes s'apprivoisent encore un peu, que leurs couleurs apprennent à se mêler.

Pendant un long moment, nous ne faisons que nous regarder tous trois, non pas que les mots ne sachent jaillir de nos cœurs mais parce qu'il nous semble, comme par la présence d'un accord en filigrane, qu'ils ne soient pas nécessaires.

Cependant, dans le creuset de cette nuit, semblable à un point d'orgue au silence qui nous unit, le chant des vagues sur la plage paraît presque s'amplifier. Lui aussi participe à ce qui se joue ici, nous en sommes certains... car il y a de la magie en lui.

« Je ne sais pas bien ce qui se passe, reprend finalement Elisabeth en portant ses deux mains de lumière à son cou... mais je sais que je dois vous faire confiance parce que cela correspond à une nécessité. Expliquez-moi ce dont il s'agit... il y a tant de choses qui remuent en moi et j'ai peur de ne pas comprendre. Je pars, n'est-ce pas ... ? »

« Tu vas partir, Elisabeth, c'est vrai ; les médecins ne te l'ont pas caché... Tu voulais tant connaître la vérité ! Mais ce n'est pas pour te le répéter que nous sommes venus te voir. En réalité nous sommes ici à tes côtés pour deux raisons. La première c'est l'aide que, si tu le souhaites, nous pouvons t'apporter ; la seconde, c'est l'aide que toi, tu peux apporter, si tu l'acceptes, à tant d'autres. »

Notre amie manifeste alors un mouvement de recul, réaction de surprise, mêlée d'émotion et de doute.

« L'aide que je peux apporter ? Mais comment le pourrais-je ? Il me semble que je ne suis même plus une femme à part entière. Vous le savez... depuis l'an dernier je n'ai plus qu'un sein, on m'a ôté l'utérus le mois passé et maintenant... vous avez-vu à quoi mon corps ressemble. »

« Oui, justement Elisabeth, nous avons vu à quoi ton corps ressemble... »

Et tandis que nous prononçons lentement ces mots, nous voyons notre amie porter machinalement une main sous son bras gauche, comme pour chercher la marque d'une cicatrice.

A-t-elle réalisé ce qui se passe ? Sans doute pas, car ses yeux mettent quelque temps à traduire toute l'émotion que son être éprouve. En effet, sous le tissu de la contre-partie lumineuse de sa chemise de nuit, Elisabeth n'a pas trouvé la trace douloureuse de la vieille cicatrice. Sous son vêtement froissé et pourtant crépitant d'étincelles bleutées, toutes les formes de son corps de femme qu'elle pensait meurtri à jamais sont bien là...

Désormais Elisabeth ne nous quitte plus du regard et, après un large sourire, ce sont des larmes de joie qui illuminent maintenant son visage.

« Tu vois, ne pouvons-nous nous retenir de dire, tu vois ce qu'il en est réellement... Seul ton corps, l'autre corps, est blessé. Celui-ci, celui qui correspond à ton cœur, à ta conscience ouverte, demeure tellement plus près de la réalité. Il est intact. Aussi est-ce à celui-là que nous nous adressons... aussi est-ce par celui-là que nous pouvons t'aider et que tu peux, toi aussi, aider autrui. »

« Dites-moi ce que j'ai à faire. Je crois bien que... je veux en trouver la force... et la compréhension. »

« Pour ce qui nous est demandé d'accomplir avec toi, Elisabeth, nous aimerions que ce soit ton cœur seul qui réponde et non pas une sorte de sentiment de devoir à remplir. Toi seule demeureras unique juge et maîtresse de la situation. »

« C'est bien ainsi que je comprends les choses... je ne saurais agir différemment... mais en aurai-je seulement la force ? C'est de cela dont je doute. Je ne sais plus rien... je me sens tellement égarée, voyez-vous. »

« Justement, c'est pour parcourir le chemin ensemble que nous sommes là, pour le débarrasser des herbes sauvages et des ronces dont ton existence l'a recouvert. »

« Vous voulez parler de mes problèmes, n'est-ce pas ? »

« Nous voulons parler des difficultés de toute âme qui vient en ce monde et doit un jour en repartir. Nous voulons te parler de cet écheveau emmêlé qu'est notre vie à tous et de la façon dont l'amour va le fluidifier. »

Brusquement, Elisabeth fait un pas en arrière dans son corps de lumière. Elle s'est dégagée de l'étreinte de nos mains comme pour aller cacher une vieille cicatrice qui s'est ouverte et a durci son regard.

L'espace d'un instant nous avons cru que son vêtement de chair la rappelait. Le corps de son âme s'est mis à ondoyer, à se ternir presque, puis nous l'avons vu se stabiliser. Ses yeux enfin se sont doucement baissés et se sont relevés à nouveau afin de sonder les nôtres.

« Est-ce le simple fait de parler d'amour qui crispe ainsi tout ton être, Elisabeth ? »

« Je n'aime plus ce mot, il ne signifie rien, je le fuis... »

« Aussi n'est-ce pas de mots dont nous parlerons ensemble ! Le temps est venu de se débarrasser des mots... ou plutôt de leurs vieilles défroques; le temps est venu d'écouter ensemble les silences qui les unissent et d'en caresser ce que le cœur y met. N'es-tu pas d'accord ? »

Pour toute réponse, notre amie a souri d'un sourire diaphane et sa longue silhouette un peu altière s'est éclairée d'une lueur nouvelle.

« J'ai peur... a-t-elle finalement ajouté après un long moment... mais j'essaierai d'être votre complice... il y a tant à faire. »

Alors, tandis que le souffle rosé de l'aube parvient à se faufiler entre les lamelles ajourées qui voilent la baie vitrée, nous échangeons encore quelques paroles avec l'âme d'Elisabeth. Des paroles simples, des paroles d'amitié, de paix et de confiance, dépourvues d'ombre. Des paroles comme celles que nous offrons à toutes celles et à tous ceux qui découvriront ces lignes...

Afin que dans le creuset de la souffrance et de la mort, au-delà d'elles, ceux qui les vivent ou les côtoient y découvrent une nouvelle conscience, une plus belle raison de vivre et d'espérer.

Chapitre premier

Sur la route du bord de plage

Il y a peu de jours que nos âmes ont rencontré pour la première fois celle d'Elisabeth et, pourtant, il nous semble qu'un fil déjà solide nous relie à elle.

Aujourd'hui, c'est sur le gazon de son jardin, derrière sa maison blanche, toute simple, que nous la retrouvons. Nos consciences n'ont pas eu de peine à la rejoindre; elles n'ont fait que se laisser guider. Nous ne savons rien de plus d'elle ni de sa vie et c'est bien ainsi.

Près de l'auvent qui protège toute une façade de la maison, il y a un parterre un peu sauvage de plantes grasses et de cactées. De-ci de-là, une fleur d'un rouge profond y éclate sous le soleil. C'est dans ce décor, près d'une chaise longue que nous découvrons Elisabeth, assise sur l'herbe. Elle porte une longue robe jaune très sobre et a noué ses cheveux au sommet de son crâne. D'un geste nerveux, elle vient de rejeter sur le sol, à côté d'elle, un livre corné, et de sa main droite elle se met à arracher machinalement quelques brins d'herbe.

Tout d'abord, il nous semble que nous ne retrouvons plus en elle la femme rencontrée il y a quelques nuits. Ses traits se sont tendus, presque rigidifiés, et ses yeux révèlent un fard qui lui ôte ce petit rien de douceur mais aussi de spontanéité que nous avions aimé.

Derrière Elisabeth, un bougainvillier en fleurs agite légèrement son feuillage au vent. Malgré toute la chaleur de sa lumière, il nous semble qu'il ajoute quelque chose de composé, d'artificiel à cette scène qui pourrait être celle d'un vrai bonheur simple, mais que nous savons pourtant factice.

Il n'y a guère plus de quelques instants que nous sommes là, cependant nous savons déjà que cette femme n'est pas vraiment Elisabeth, du moins pas celle que nous cherchons, pas celle avec laquelle nous allons voyager jusqu'au Grand Portail... Un simple aspect d'elle, peut-être ; ce qu'elle a de plus social. Avec une pointe de déception, à la place de celle qui a su toucher notre cœur, nous ne voyons plus ici qu'une carapace. Alors, nous attendons et nous cherchons son regard, nous cherchons... Mais non, il y a bien, au cœur d'Elisabeth, quelque chose de guerrier, une force rebelle et orgueilleuse que nous n'avions pas décelée jusqu'alors.

D'un geste malhabile mais rapide, nous la voyons se dresser sur ses jambes comme pour réagir à une torpeur dont elle ne veut pas.

Cependant, un bruit de pas sous l'auvent attire notre attention. Dans l'embrasure d'une porte, derrière une rambarde de bois, apparaît la silhouette d'une jeune femme tenant à la main un petit enfant.

« Je le conduis à la garderie ; je n'en ai que pour une petite demi-heure. Alors, ne t'occupe de rien, je reviens. »

26

Elisabeth, ramassant son livre, acquiesce simplement de la tête et esquisse un léger sourire.

Quelque chose en nous sait instantanément et de façon certaine que la jeune femme qui vient d'apparaître est sa fille, déjà mère elle-même d'un garçonnet de deux ou trois ans. Sans doute vit-elle ici également.

Haut dans la limpidité du ciel, de grands oiseaux blancs poussent leurs cris stridents. Elisabeth leur lance un rapide coup d'œil, comme s'ils étaient simplement les éléments trop banaux d'un décor qui n'a plus rien à lui apporter puis elle fait quelques pas et saisit un paquet de cigarettes qui traîne sur une table de plastique blanc.

De là où nous sommes, avec les yeux que l'âme permet de développer, nous voyons bien, maintenant, l'angoisse qui l'étreint ainsi que le masque derrière lequel elle se retranche. Elisabeth est partie en guerre, en guerre contre le monde, contre tout ce qu'elle rencontre. Des flots de flammèches rouges crépitent aux alentours de sa nuque puis courent se mêler çà et là en d'autres parties de son corps à des brumes d'un vert pâle, presque jaune... les marques d'une peur.

La voilà maintenant qui se saisit d'un sécateur et qui tente de ravir quelques grappes fleuries au bougainvillier écarlate. Dans un geste nerveux et volontaire, ses bras se lèvent afin de saisir les frondaisons les plus touffues de l'arbre.

Nous aurions envie, si nous le pouvions, de la serrer dans nos bras, cette femme dont le moindre geste, le moindre regard paraît jaillir du creuset d'un combat. Nous voudrions lui dire « arrête Elisabeth, arrête le manège infernal de ta rébellion et assieds-toi au dedans de toi-même. C'est là qu'ensemble nous allons trouver la sortie... Souviens-toi ! »

Brusquement, alors que les fleurs fraîchement cueillies s'amoncellent déjà sur l'herbe, les traits d'Elisabeth se figent et une pâleur inquiétante inonde son visage. Nous voyons bien, en lisant la douleur qui la gagne, que le sol va se dérober sous elle et nous nous reprochons presque de n'être que des spectateurs impuissants à ses côtés et imperceptibles à ses sens. Si les yeux de son âme s'ouvraient... si elle les libérait de leur cage...

Il s'en faut d'une seconde... la longue silhouette en robe jaune d'Elisabeth vient de s'affaisser sur l'herbe, comme emportée de l'intérieur par un silencieux tourbillon. Cependant, telle une vapeur qui se condense dans un flot de lumière blanche, une forme se dégage immédiatement de son corps allongé sur le sol. C'est la conscience de notre amie qui s'en vient vers nous. S'amoncelant tout d'abord en une masse sphérique et laiteuse au niveau de l'ombilic de son enveloppe inerte, la forme de lumière se trouve bientôt face à nous. Faisant songer à une brume qui se solidifie et crépite d'une vie intense, elle semble tout d'abord tituber et ne nous perçoit guère.

Instinctivement, nous éprouvons le besoin de ne pas nous manifester à elle... presque une envie d'estomper totalement notre présence. Une âme qui pénètre dans son monde est parfois submergée par une vague de lumière qui ressemble à une étrange ivresse. Alors, il faut attendre, il faut qu'elle découvre le rythme de sa propre respiration.

« Oh... est-ce bien vous ? entendons-nous cependant presque aussitôt. Est-ce que je suis à nouveau dans mon rêve ? »

Mue par un élan du cœur, Elisabeth s'est immédiatement avancée vers nous, et nous avons senti la nécessité de lui rappeler le contact de nos mains.

« Mais, qu'est-ce qu'un rêve Elisabeth ? Si tu y parles, si tu y pleures, si tu y ris et si tu y retrouves des amis, dis-nous, qu'est-ce qu'un rêve ? Peut-être tout simplement rendre visite à une autre région de l'univers ! Il y en a tant, ne crois-tu pas ? »

Pour la première fois, nous voyons Elisabeth amorcer un véritable sourire. Le visage de son âme, aux arêtes marquées par l'émotion, s'est peu à peu décrispé puis teinté d'une clarté légèrement irisée. Il nous semble dès lors le retrouver tel que nous l'avions mémorisé dans notre cœur, à la fois si fragile et si volontaire... et surtout capable d'aimer. »

« ...Je suis capable d'aimer ? »

Nous avons presque envie de rire en voyant à quel point notre conscience a laissé voyager ses pensées jusqu'à notre amie. Mais la stupeur d'Elisabeth et une forme de désarroi qui perle dans ses yeux nous en empêchent...

« Comment peux-tu en douter ? lui murmurons-nous. C'est un peu à force de le nier que tout ceci arrive. »

Cependant, à quelques pas de nous, l'enveloppe de chair d'Elisabeth, dans sa longue robe jaune, demeure toujours inerte sur l'herbe encore humide du matin.

Elisabeth elle-même l'a aperçue et ne semble pas s'en émouvoir mais plutôt s'interroger sur sa signification. Nous devinons qu'intérieurement elle esquisse un haussement d'épaules tandis qu'elle la contemple d'un air las.

« Et dire que c'est pour "ça" que je me bats ! fait-elle enfin piteusement. Quelqu'un pourra-t-il me dire ce que je dois faire ? »

« Tout d'abord, sans aucun doute, ne plus dire « ça » par rapport à ton corps. "Ça" c'est aussi un peu toi... »

« Justement, ça ne ressemble pas à grand-chose. Un corps qui ne tient plus debout ! Un métier que j'ai abandonné il y a longtemps, un mari qui m'a quittée ou que j'ai fait fuir... je ne sais pas, puis une fille et un petit-fils dont je commence à encombrer la vie ! Que voulez-vous que je fasse de tout cela. Je vous en prie, ne me faites pas la même leçon que les médecins et les prêtres quand ils viennent visiter les chambres à l'hôpital. "Allons Madame, rien n'est perdu... il faut vous ressaisir et garder l'espoir... Conservez la foi jusqu'au bout, pensez à Notre-Seigneur..." Non, je veux qu'on soit vrai avec moi, sinon rien ne vaut la peine... »

« Veux-tu survoler ce qui se passe ou véritablement essayer de comprendre ? »

« Aujourd'hui, je veux encore comprendre, comprendre pourquoi tout cela, et puis qu'on me laisse partir paisiblement. »

« Tu veux partir guérie... n'est-ce pas ? »

Notre remarque semble interloquer Elisabeth. Une lueur indescriptible voyage à travers les yeux de son âme et la fige dans un long silence.

« Partir guérie ? fait-elle enfin. Je ne comprends pas ce que vous voulez dire. Si je pars, je pars... ce sera comme ça. »

« Nous voulons dire, partir avec la quiétude dans ton cœur, partir en ayant arrêté de boire le poison qui t'a abîmée, partir, si tu préfères, en ne conservant plus aucun fiel au-dedans de ton être et en reconnaissant paisiblement : "j'ai vécu tout ce qu'il fallait que je vive". »

Pour toute réponse, Elisabeth a acquiescé en hochant la tête, puis a porté une main à sa gorge et s'est tournée à nouveau vers son corps inerte.

30

« Oui, captons-nous finalement au tréfonds d'elle-même, il faut peut-être accepter de tout réapprendre. Mais je ne sais même pas si je vais rentrer dans ce corps, ni comment… »

Au même instant, la petite porte blanche de la barrière du jardin s'est mise à grincer sur ses gonds puis s'est refermée bruyamment. C'est la fille d'Elisabeth qui, à travers le fouillis des arbustes et des cactées, vient d'apercevoir le corps abandonné de sa mère. Le bruit de ses pas précipités sur le gazon résonne lourdement aux oreilles de notre âme. Paniquée, la jeune femme jette son panier garni de pain au milieu des fleurs et s'agenouille fiévreusement auprès d'Elisabeth dont elle tente péniblement de relever le buste. Aucun son ne sort de sa bouche et ses pensées désordonnées s'envolent jusqu'à nous. Des images brouillonnes de téléphones et d'ambulances se bousculent alors en elle entre deux sanglots étouffés. Puis, après avoir secoué une dernière fois sa mère, elle court vers la maison.

Devant ce qui s'est passé, Elisabeth est demeurée comme interdite, droite, presque rigide à côté de son corps, à demi étrangère à toute la scène.

Nous tenant un peu à l'écart, nous l'avons simplement entendue murmurer : « Sonia, si seulement tu savais… » puis elle s'est tue et nous avons éprouvé le besoin d'aller vers elle pour la saisir par les épaules.

« Vous me trouvez dure, n'est-ce pas ? C'est que je me sens tellement hors-jeu par rapport à tout cela ! Devant l'injustice je ne sais plus si je dois me révolter ou m'enfuir. Souvent je me rebelle mais, aujourd'hui, je veux me sauver et penser que plus rien ne me concerne. »

« Et s'il y avait une autre solution que cette alternative ! »

« Il faudrait encore que j'y croie… C'est peut-être votre travail que de m'en convaincre… »

« Mais qui parle de convaincre, Elisabeth ? Nous voyons plutôt un sentier à déblayer, à découvrir tous trois ensemble. Il est bien révolu le temps où il fallait convertir à tout prix, "sauver les âmes" en les contraignant à prendre le "vrai chemin", la "bonne direction".

Notre seul but est que tu visites les tiroirs de ta conscience, que tu redécouvres ce qu'est cette conscience, que tu te souviennes que tu peux t'aimer et aimer les autres. Pour cela, nous souhaiterions que tu hausses les épaules aussi longtemps que tu en auras envie, que tu te rebelles aussi souvent que ton être le réclamera, que tu sois donc toi-même, également authentique jusqu'au bout... ou plutôt jusqu'au commencement. »

Ne s'apercevant pas que Sonia vient de réapparaître avec une couverture et des coussins, Elisabeth s'est soudainement abandonnée à nos bras qui n'espéraient que cela. Immédiatement, c'est comme si une vitre venait de voler en éclats, sans bruit, avec juste un soupir de soulagement.

« Oui, sanglote Elisabeth, je vois bien ce que vous voulez me dire. Pardonnez-moi de jouer cette comédie et de me prendre au jeu de la malade désespérée. Je sais bien qu'il y a encore tant de forces en moi... et je veux guérir mon âme, afin qu'au moins beaucoup puissent comprendre à leur tour. Ce n'est pas de peine que je pleure mais de l'espoir que je découvre... de ne plus être seule. »

Pour nous trois le temps s'est étiré. Il a pris les colorations d'une tendresse nouvelle et d'une réelle complicité naissante. Dans le lointain cependant, nos consciences expansées perçoivent déjà avec acuité les sirènes lancinantes d'une ambulance.

Quelques mots sont encore échangés qui scellent pleinement notre amitié, et ce sont bientôt les blouses blanches de deux infirmiers qui nous rappellent à d'autres réalités.

Le front plissé, Sonia submerge les deux hommes d'un flot de paroles, tandis que le corps toujours inconscient de sa mère est délicatement placé sur un brancard, puis acheminé jusqu'au véhicule. Un énorme gyrophare bleu y lance ses éclairs et paralyse les regards.

Déjà quelques personnes se sont amassées sur le trottoir de la petite impasse, face à l'ambulance. Toutes ont l'œil écarquillé et tentent de glaner quelque information.

A nos oreilles c'est un véritable charivari de pensées incohérentes qui s'élève d'elles, une cacophonie où se mêlent surprise, curiosité, banalité. Aucune méchanceté, mais une telle fadeur, une telle froideur aussi. Elisabeth, qui se tient toujours près de nous dans le corps de sa conscience, a pris ce flot de pensées de plein fouet, un peu comme une griffe d'indifférence dont elle n'avait pas besoin. Son âme n'a rien murmuré mais la pâleur de ses yeux qui nous cherchent nous le fait comprendre.

Rapidement, Sonia s'est engouffrée dans le véhicule pour se tenir auprès du corps allongé de sa mère dont le visage a disparu derrière un masque à oxygène.

Quant à nous, sans que nous en ayons émis consciemment le souhait, nous nous sentons happés par l'habitacle de l'ambulance qui démarre dans un crissement de pneus. Le corps lumineux d'Elisabeth ne nous a pas quittés et, tous trois, nous éprouvons l'étrange sensation de ne plus faire qu'un, unis affectivement vers une même direction.

Tandis que le véhicule a emprunté à vive allure la petite route rectiligne du bord de plage, notre amie a délicatement essayé de poser sa main sur la nuque de sa fille. Elle semble faire peu de cas de son corps étendu sous une couverture et dont les membres commencent à remuer légèrement. L'infirmier qui se tient assis près d'elle et qui ne dit mot lui a cependant saisi une main qu'il serre entre les siennes réunies.

« Mon Dieu... murmure aussitôt Elisabeth, au-dedans de nous. Pourquoi a-t-il fait cela ? Il ne m'a jamais vue... »

« Cela te peine-t-il, Elisabeth ? »

« Non, non, au contraire... J'en ressens la chaleur jusqu'ici. Mais pourquoi fait-il cela ? Il n'est pas obligé... Pourquoi veut-il me tirer vers lui ? Je ne sais pas si je veux... Mais comment fait-il ? Si vous saviez comme elle est douce cette petite chaleur qui monte en moi. C'est étrange, il la donne à ma main et je la sens au creux de ma poitrine. Elle ressemble à une vapeur qui s'étend lentement à partir de mon cœur. Comment sait-il tout cela ? Il va me faire redescendre... mais je ne veux pas, moi. Je veux rester ici, presque anesthésiée, où tout me paraît tellement plus grand, plus libre. Elle est immense cette voiture et j'ai l'impression de pouvoir en visiter tous les recoins comme une mouche. Et la mer... je ne l'ai jamais si bien vue derrière son ruban de palmiers ! Il faut qu'il me lâche la main ! »

« Laisse-toi donc faire, Elisabeth, intervient l'un de nous. Cet homme sait ce qu'il fait. Ce n'est pas autre chose qu'un peu de tendresse qu'il te communique et qui rappelle ton âme. »

« De la tendresse... mais pourquoi voulez-vous... ? »

« Pourquoi veux-tu qu'il y ait toujours un pourquoi ? La tendresse, la compassion, cela peut s'offrir "comme ça", gratuitement... même à toi. »

Il y a soudain une sorte de raidissement dans l'aura d'Elisabeth, une onde de choc qui s'en revient jusqu'à nous.

« Pourquoi "même à moi" ? »

« Parce que c'est bien là que se situe le problème. Tu t'es persuadée que tu ne pouvais plus être aimée pour toi-même.... parce que tu t'es mise à ne plus t'aimer. Voilà de quoi tu souffres, en réalité, Elisabeth, et nous pouvons te dire qu'il y a des millions de personnes qui souffrent, elles aussi, du même mal que toi pour les mêmes raisons. Tu n'es pas seule... »

« Peut-être, mais je ne veux pas de la compassion des autres. »

« Parce que tu la confonds avec la pitié. Il n'y aura jamais de pitié dans notre présence. Il ne doit jamais y en avoir face à ceux qui souffrent car elle est souvent animée d'un étrange et trouble sentiment de supériorité. Nous te parlons de compassion Elisabeth, et cela, c'est totalement autre chose. Il ne s'agit pas pour nous simplement de la compassion que ceux qui te soignent pensent éprouver pour toi, mais aussi de celle que toi tu peux développer envers le monde. Il te faut, vois-tu, réapprendre à développer un courant d'unité avec le monde ; il faut rétablir une libre respiration entre les autres et toi.

Nous savons qu'il t'est, pour l'instant, difficile de bien nous comprendre, mais il ne doit plus y avoir, d'un côté, Elisabeth éprouvée par une injuste maladie et, de l'autre, la foule des hommes et des femmes dont tu penses ne plus rien avoir à attendre et à laquelle tu ne veux plus rien donner.

La compassion est une forme d'amour éprouvée par celui qui accepte de visiter l'âme de l'autre, sans jugement, afin d'en percevoir les battements de cœur et d'offrir les siens. »

« Croyez-vous que je sois jamais prête, un jour, à comprendre tout cela... au-delà de ma tête ? »

« Le simple fait de se poser la question est déjà un gage d'ouverture. Nous n'en doutons pas. Mais justement, place-toi au-delà de ta tête, laisse la main de cet homme te ramener dans ton corps, laisse la vague de chaleur te submerger, et regarde Sonia qui guette ton moindre battement de cils. »

« Je ne sais pas… Il me semble être plus près de moi ici, plus loin de ma révolte. Je vois bien que vous allez me dire que le corps physique est un outil, un temple pour l'âme, qu'il ne nous est pas donné par hasard, et vous avez sans doute raison mais… je ne peux pas encore. »

Dehors, entre les villas du bord de plage, il nous semble parfois saisir le regard curieux de quelque promeneur intrigué par la sirène du véhicule qui emmène Elisabeth. Singulière sensation à vrai dire que celle de flotter ainsi entre deux réalités, celle régie par un soleil déjà haut dans le ciel, et celle mue par un autre soleil, plus intérieur mais non moins réel.

Elisabeth perçoit également tout cela, nous le devinons ; le champ de son âme avec les mille couleurs qui se cherchent, nous fait songer à la page brouillonne d'un cahier où un mot vient sans cesse en effacer un autre. Espoir… douleur… lassitude… non, espoir… peut-être.

« Ce qui étouffe, c'est l'incertitude, le doute. Ne plus savoir où est sa propre place. » Voilà ce qu'exhale l'âme de notre amie.

Tandis que nous plongeons en elle pour mieux en comprendre les méandres, nous y lisons une attente impatiente, une attente face au silence de sa fille. Sonia, en effet, demeure muette. Ne quittant pas des yeux le visage de sa mère, elle ne parvient pas à construire une pensée. Des mots fusent de son cœur, désordonnés, qu'Elisabeth aime-

36

rait tant saisir, des mots qui pour elle seraient plus qu'une main qui en saisit une autre.

« Elle ne le peut pas... Si seulement elle savait que je suis là et que j'ai besoin qu'elle me murmure quelque chose... de tout bête peut-être, au fond d'elle-même ; cela suffirait. Je l'entendrais tellement bien au fond d'elle-même ! Pourquoi n'apprend-t-on pas toutes ces choses ? Ce serait si simple ! »

«... Mais il faudrait d'abord que la conscience soit enseignée autrement que comme un concept philosophique, ne crois-tu pas ? Il faut que l'on sache qu'elle ne cesse jamais. »

« J'en ai si peu parlé à Sonia. C'était tellement extérieur à moi jusqu'à ces derniers jours ! Il y avait bien quelques livres évidemment, mais c'était seulement comme une belle série d'images en laquelle on pouvait croire pour se rendre la vie plus facile. Je croyais à tout cela de la même façon que je me persuadais du catéchisme de mes dix ans, sans savoir au juste ce qu'il y a « derrière », ni ce que cela implique.

Et puis, à quoi bon tout cela ! J'ignore si je me souviendrai même de vos présences et de tout ceci dans quelques instants, dès que cette guenille m'aura rattrapée. Et si je ne voulais pas qu'elle me rattrape !... Dans les livres il était question d'une sorte de cordon d'argent[1] mais à aucun moment je ne l'ai perçu. »

« Ne t'en préoccupe pas ; rares sont ceux qui l'aperçoivent. Oriente plutôt ton attention vers ton identité,

---

1 - lien subtil semblable à un cordon ombilical qui unit le corps physique à l'un des corps de l'âme (corps astral) et qui se sectionne puis se désagrège au moment de la mort.

Elisabeth. C'est elle que tu dois retrouver en ces lieux, à nos côtés. C'est elle qu'il faut faire refleurir en soi dès que l'on sait ou que l'on pense qu'il nous faut tourner la page de cette vie... parce qu'il y a d'autres chapitres de soi à découvrir. Voilà pourquoi il faut vraiment que tu saches qui tu es... pour ne pas perdre le fil, pour rassembler dans un grand sac tout ce qu'il y a de meilleur en toi et apaiser le reste, désamorcer toutes les "bombes à retardement" que tu as posées ta vie durant. »

« Les bombes à retardement ? »

« Toutes tes rancœurs et tes tensions. La masse de tes égoïsmes et de tes jalousies, de tes volontés de limiter et de dominer aussi parfois. C'est tout cela, vois-tu, qui a posé ton corps sur cette civière aujourd'hui. C'est leur conjugaison répétée, peut-être depuis bien longtemps, qui t'a meurtrie de la sorte. »

« Mais les autres, ne croyez-vous pas qu'ils ne m'en aient pas posées, de semblables "bombes" ? »

« Sans doute, Elisabeth, mais, écoute-nous bien : c'est ce que nous venons d'énumérer qui a facilité leur explosion, qui l'a souvent accélérée et qui, parfois même, a procédé à leur mise à feu. Tout l'apprentissage de la vie consiste à désamorcer les explosions et les implosions face auxquelles notre propre chemin nous mène. La culture de la sagesse n'est rien d'autre que cela, bien au-delà de toutes les croyances et de la multitude des dogmes. »

Elisabeth a lentement caché son visage dans ses mains puis a baissé la tête.

« Il est trop tard. Vous me parlez de sagesse mais vous voyez bien que je meurs. »

« Qui donc meurt, Elisabeth ? Ou plutôt qu'est-ce qui meurt ? Est-ce toi ou ce qui de toi est fatigué ?

La sagesse est un grand mot qui ne doit pas t'effrayer, ni toi ni tous ceux qui vivent de tels instants. Elle n'est pas, sache-le, une affaire de philosophes ni de saints, mais seulement une affaire de simplicité. Veux-tu que nous apprenions ensemble à être simples, ou plutôt à le redevenir ? »

Pour la première fois, nous sentons le corps de lumière de notre amie s'appuyer sur le nôtre.

« Oui, murmure-t-il alors paisiblement au-dedans de nous, oui. »

Et tandis que ce mot vogue au tréfonds de notre être, nous nous apercevons qu'il vient également d'emplir l'habitacle de l'ambulance.

« Elle a parlé, elle vient de parler ! » s'écrie Sonia en serrant instantanément de la main une épaule de sa mère. L'infirmier lui sourit franchement et lâche le masque respiratoire qu'il s'apprêtait à utiliser une nouvelle fois.

Cependant, venant se mêler au hurlement intermittent du véhicule, la voix faible mais toutefois distincte d'Elisabeth se fait entendre à nouveau :

« Oui, je le veux bien... être simple. »

En un éclair nous venons de nous apercevoir que le corps de lumière de notre amie n'est plus présent à côté de nous. Il a maintenant pleinement réintégré son enveloppe de chair qui reprend peu à peu ses colorations et se met à grelotter dans des mouvements incontrôlés.

« Ce n'est rien, tout est simple... repose-toi, » lui susurre aussitôt Sonia d'une voix encore mal assurée. Soudain, un coup de frein plus ferme que les autres. Nous comprenons que la cour de l'hôpital est déjà là, avec ses dalles de ciment blanchi par le soleil et une sorte de lit roulant qui attend près d'une porte vitrée.

Elisabeth y est déposée énergiquement et la voilà bientôt véhiculée le long d'un couloir par deux femmes métissées.

Intimement reliés à elle, nous captons aisément le son de sa respiration. Celui-ci demeure léger mais régulier, témoin d'une petite graine de quiétude. Dans le monde intérieur de notre amie règne une sorte de silence, comme un espace immaculé dans lequel elle tente lentement, sans véritable volonté, d'aligner les souvenirs et les impressions. Sonia, quant à elle, a disparu de notre champ visuel mais nous la savons dans quelque bureau, un inévitable stylo entre les doigts.

D'un couloir à l'autre, à travers un véritable dédale où flottent de fortes odeurs, le lit roulant d'Elisabeth continue d'être poussé puis enfin s'immobilise face à une chambre, la porte grande ouverte. Avant même qu'on ne lui en ait fait franchir le seuil, un homme encore jeune et dont la blouse a été enfilée à la hâte se précipite vers l'un des bras de notre amie. Muni d'un tensiomètre, il semble accomplir avec détachement son geste rituel.

« Mumh… cela ira… recueillons-nous dans le flot de ses pensées. Allez-y, faites-la entrer », dit-il ensuite avec autorité et d'une voix sonore.

Dans la chambre spacieuse, deux lits métalliques vides s'offrent pleinement aux rayons du soleil. Des murs bleu lavande, une grande fenêtre et un téléviseur, voilà le décor sobre mais propre où il nous faudra sans doute partager de longues heures de la vie d'Elisabeth. Combien de temps ? Nous l'ignorons totalement. Peut-être quelques jours, peut-être jusqu'au bout…vers son ultime envol.

Cependant qu'Elisabeth fait l'objet des premiers soins des infirmières, notre attention est captée dans le couloir par l'homme en blouse blanche qui, s'éloignant à grands pas, vient de croiser une jeune femme, serviette de cuir à la main.

« Tu te souviens de la malade du trente et un, il y a quelques semaines ? Elle est revenue. Perte de conscience prolongée... on verra bien. De toute façon, c'est généralisé... »

« C'est elle qui avait refusé la chimio, non ? »

« Disons qu'elle a fini par ne plus en vouloir. Elle est au courant de tout. »

Dans la chambre, le visage d'Elisabeth n'apparaît plus maintenant que sur l'oreiller d'un lit soigneusement bordé. Les stores qui ont été légèrement baissés projettent sur les formes de son corps une ombre irrégulière qui le rend presque irréel. Cependant, du haut d'un pied métallique, un tuyau de plastique suspendu à une bouteille renversée se faufile sous les draps... Spectacle banal dans cet univers dont il nous faut d'ores et déjà accepter la proximité.

Près de la fenêtre, en haut du lit qui nous attire, les paupières d'Elisabeth sont à nouveau closes. Cette fois pourtant, c'est un profond sommeil, semble-t-il, qui a eu raison d'elles.

« Je suis encore là...entendons-nous alors distinctement au plus secret de notre cœur. Vous voyez, je ne me suis pas absentée bien longtemps ! »

Sans que nous l'ayons vue cheminer jusqu'à nous, la conscience d'Elisabeth s'est une fois de plus échappée de son corps et nous a rejoints « quelque part » dans la chambre. De ses grands yeux sombres mais animés d'une flamme jusqu'ici insoupçonnée, Elisabeth nous fixe intensément et paraît fière de la surprise qu'elle nous a occasionnée.

« C'est merveilleux, dit-elle aussitôt comme si elle sentait le besoin de se justifier, dès que je suis retournée dans ma chair et aussi longtemps que j'ai pu y rester, je crois que je me suis souvenue de tout... de tout ce que nous avons dit ensemble. Je n'avais plus vraiment vos visages en moi, mais vos paroles et les miennes, une sorte de résonance très forte... qui me rendait très forte, moi aussi. Pour la première fois depuis longtemps, au-delà des regards des infirmières, il m'a semblé que je pouvais croire en quelque chose, avoir une certitude, enfin. »

« Alors oui, c'est merveilleux... et cela le deviendra plus encore à chaque rencontre si tu acceptes d'être toi-même. Ainsi, il y a au fond de toi une question, une vieille question qu'il nous faudrait aborder ensemble sans tarder. »

Elisabeth semble intriguée par notre réponse, mais nous la savons honnête avec son cœur lorsque nous la voyons se pencher vers le plus profond d'elle-même.

« Je ne sais pas... Il y a finalement tant de questions ! »

« Nous voulons parler de quelque chose de fondamental, de quelque chose que beaucoup refusent d'aborder clairement. »

« Vous voulez parler de "l'autre côté"... ? »

« Oui, il faut oser en parler Elisabeth. Il n'y a aucune indécence à aborder cela franchement. A force d'avoir peur on peut étouffer des mots et les idées qui se cachent derrière eux. Que sais-tu, toi, de cet "autre côté" ? »

Nous voyons que nous avons touché juste. Quelque chose se raidit dans l'âme de notre amie, quelque chose que nous ne pouvons laisser de côté et qu'il ne faut pas contourner plus longtemps, même si cela réveille une douleur sans âge, viscérale. Cette douleur-là, nous n'en doutons pas, est semblable à une couche de poussière, ou à un fard pesant posé par notre société sur son humanité. C'est pour en consumer jusqu'à l'extrême les scories qu'il faut accepter de s'épousseter la conscience et de démaquiller l'âme humaine des artifices dont elle est revêtue.

« Ce que je sais de "l'autre côté" ? A vrai dire, pas grand chose. Je sais, ou plutôt je crois qu'il y en a "un", mais en fait... vous avez raison, rien n'est intégré. Alors, oui, j'ai peur, peur de mourir, parce que je ne sais pas ce que c'est ni ce que je vais trouver. J'ai eu beau lire un tas de choses, il y a cette peur qui me tenaille ! »

«... Comme lorsqu'on apprend à nager et qu'il faut lâcher pour la première fois le bord de la piscine en sachant qu'il n'y a plus rien en-dessous de soi. »

« C'est tout à fait cela. Je m'aperçois aujourd'hui que j'ai passé ma vie comme tant d'autres, c'est-à-dire sans avoir seulement essayé d'apprendre à nager. J'ai existé, c'est tout. J'ai fait tourner la machine comme si la machine était inusable, comme si tout ou presque tournait autour d'elle... ou alors s'arrêterait avec elle.

Seulement, voilà, on arrive toujours tôt ou tard à un carrefour et on s'aperçoit que l'on s'est raconté une énorme histoire, qu'on a passé sa vie à gonfler une baudruche.

Aujourd'hui, vous voyez, c'est mon tour et je me dégonfle. Les histoires d'anges qui nous attendent de l'autre côté, il y a longtemps que je n'y crois plus et c'est peut-être dommage. Je crois bien en quelque chose mais... mais je n'ai jamais vu ce tunnel dont on parle dans les livres ni cette lumière incroyable qui fait, paraît-il, si chaud au cœur. Je ne peux qu'espérer vaguement et continuer à craindre le moindre battement de paupières que je ne contrôle pas. Il paraît que la vie est une école, mais je ne sais vraiment pas ce que j'y ai appris ! »

« Peut-être est-ce tout simplement parce que tu ne t'es pas vraiment penchée sur elle. La plupart d'entre nous astiquons un miroir, une image ; alors évidemment lorsque ce miroir se brise et que l'on est obligé d'aller non plus du côté du reflet, mais vers soi-même, tout change !

Peux-tu nous dire exactement de quoi tu as peur, Elisabeth ? C'est dans cette direction, vois-tu, qu'il nous faut commencer à avancer ensemble. Tu as peur de la mort ou peur de mourir ? »

Le visage d'Elisabeth s'est soudainement figé et notre amie nous regarde plus intensément que jamais, l'air interloqué. Au bout d'un instant, quelques mots parviennent enfin jusqu'à nous.

« Je ne comprends pas... »

« Eh bien oui, il faut commencer par le commencement. Suppose que tu te rendes en un lieu. Comment pourrais-tu confondre ce lieu avec la route qui y mène ?

Suppose que tu sois en pleine mer. Tu ne confonds pas le port vers lequel tu navigues avec les vagues, peut-être houleuses, qui te séparent encore de lui, n'est-ce-pas ?

Ce que nous allons découvrir d'abord ensemble c'est que l'état de la route ou de la mer dépendent d'abord de toi, c'est-à-dire du sac trop pesant que tu as le choix de laisser sur le bord du quai, ou de la façon dont tu peux tendre tes voiles.

Pourquoi a-t-on peur de mourir, Elisabeth ? Parce qu'on a oublié que marcher ou naviguer étaient des arts avec lesquels nul ne peut tricher.

Pourquoi a-t-on peur de la mort ? Parce que l'on a peur du changement, parce que l'on confond notre cerveau et notre cœur qui pulse, avec la conscience qui les anime. Parce que l'on n'a pas non plus appris à admettre qu'il y a entre mourir et mûrir une étroite parenté. »

« Alors, disons que j'ai peur du chemin ou des vagues et que j'ignore le nom du port qui m'attend. Je vous dis cela d'un trait, voyez-vous, parce que nous sommes "ici", mais je sais trop bien que ma langue est nouée. Dans mon corps je suis incapable d'admettre et d'avouer cela. C'est vraiment d'un aveu dont il s'agit. Je crois maintenant que cette peur vient d'une absurde fierté, d'une incapacité à me montrer un peu à nue. Oh, si ma langue pouvait se délier et parler de tout cela à Sonia !

Jamais ensemble nous n'avons parlé de la mort. Elle sait que je m'en vais mais elle feint de croire que je vais me rétablir. Quant à moi je ne fais guère mieux car j'entretiens sa fausse ignorance. Nous jouons à celle qui en saura le moins, à celle qui arrivera à ne jamais prononcer les mots fatidiques : cancer... mort. Comme s'ils étaient honteux, comme s'ils sentaient mauvais ! Et pourtant, quel mur tomberait entre nous si seulement nous osions les mots au lieu d'entretenir une comédie muette.

A ce point, le silence devient un mensonge permanent, une négation de la vie et de l'espoir. Il me fait mal et c'est peut-être de lui dont je meurs aussi. »

« On meurt souvent d'une rétention de quelque chose, Elisabeth. Rétention d'orgueil et de silence comme tu le sens toi-même. Rétention de douleur, de haine ou de rancune, d'amour également. Tout ce qui ne passe pas à travers toi, tout ce que tu emprisonnes en toi et ne transformes pas dans l'athanor de ton cœur devient un poison que tu absorbes. L'amour de la vie implique d'abord un amour envers soi. Un tel sentiment est totalement étranger à toute forme d'égoïsme et de narcissisme. Il est la condition première à un amour plus vaste dont la vocation est de déborder par tous les pores de notre être.

Si ton âme a décidé de s'envoler, c'est son choix, Elisabeth, et nous n'essaierons pas de la river coûte que coûte ici-bas puisqu'elle s'est déjà usée au contact de la Terre. Notre tâche et le bout de voyage que nous allons faire en ta compagnie ont pour but de te faire comprendre la qualité de cet amour-là, et puis aussi de te faire oublier ce vieux goût d'échec qui traîne dans ta bouche.

Contrairement à ce que l'on s'acharne à nous enseigner, la vie n'est pas par essence un combat. C'est la pulsion de mort que nous y mettons qui lui donne l'aspect d'une lutte incessante. Lorsqu'on la quitte, il faut tout faire pour ne pas avoir la sensation de s'enfuir d'un champ de bataille. Il faut, vois-tu, la quitter le plus lucidement possible, après avoir dénoué l'écheveau de notre propre complexité. C'est cela qui compte et qui permet de partir dans la simplicité... c'est-à-dire en harmonie avec ce qu'il nous a été demandé de vivre. »

« C'est presque trop beau... » murmure Elisabeth qui s'éloigne un instant de nous pour se tourner vers son corps endormi et aux trois quarts enfoui sous les draps.

« C'est presque trop beau, ajoute-t-elle de nouveau d'un air un peu absent. Alors, vous voulez vraiment que je parte "guérie" ? »

« Nous voulons que tu éclaires le chemin pour toi-même et pour tous ceux que tu précèdes. Mais dis-nous... pourquoi cela serait-il trop beau ? Le trop, dans ce domaine, doit être éliminé de notre vocabulaire. Tu le verras, car la route que nous allons explorer ensemble peut, si chacun le souhaite du fond de son être, ne pas ressembler le moins du monde à cet épouvantail que nous laissons se dresser face à nous depuis si longtemps. Il y a mille étoiles à y découvrir et chaque caillou que nous y trouverons ensemble saura raconter son histoire pour te faire grandir. »

« Me faire grandir ? Mais si, d'un coup, je n'étais plus persuadée qu'il y ait "l'autre côté"... Alors, pourquoi grandir ? S'il n'y avait, après tout, qu'un grand néant, un grand sommeil sans fond ni fin, l'extinction de tous les feux... »

« Bien sûr, Elisabeth, notre mental, notre intellect, peut toujours, jusqu'au bout, jouer à cache-cache avec la Vie. Bien sûr, on peut inlassablement s'acharner à ne pas vouloir croître ni espérer. Nous avons toujours le choix de jouer les mécaniciens démonteurs. Mais notre présence ici, à tous trois, dans nos corps de lumière n'est-elle pas déjà à elle seule une hérésie pour ceux qui nient qu'il puisse y avoir une porte d'accès à un autre "eux-même" et à un autre soleil ?

Nous ne t'imposons pas l'espoir, de même que nous ne l'imposerons à quiconque n'accepte pas l'éventualité de le laisser mûrir en soi. Tout ce dont tu as besoin en définitive, c'est d'une main à serrer dans la tienne et d'un cœur auquel sourire... C'est de cette façon, vois-tu, que tu découvriras ta propre voûte céleste.

Ensemble, nous savons qu'il n'est plus l'heure des "j'aurais dû" ou "il n'aurait pas fallu que...". Tu t'ouvres à l'avenir, au-delà de tous les arguments que notre raison et notre compréhension peuvent se confectionner ! »

La silhouette lumineuse de notre amie se tourne alors résolument vers nous, forte de quelque chose de beau et d'indéfinissable.

« En la regardant, en me regardant ainsi, fait-elle enfin, j'ai soudainement bien compris ce que nous devions faire. J'essaierai de faire jaillir la lumière de ce corps décharné... parce qu'il n'est pas à plaindre, parce que j'avoue que je ne suis plus à plaindre mais à découvrir comme une

47

terre nouvelle. Pour cela je voudrais seulement me reconnecter avec ma mémoire. Je sens qu'il faut... retrouver quelque part en moi, des racines. C'est ce souvenir, me semble-t-il, qui me rendra la perception de mon feuillage.

Cette absence de perception augmente mon désarroi, voyez-vous ; je me sens coupée du ciel et de la terre, comme un tronc sectionné et à la dérive. Les cartes de mon passé ne sont plus que brouillon en moi, chiffonnées et raturées, bourrées de remords ou de frustrations, vraies ou fausses. J'ai besoin d'une vraie mémoire... et aussi d'un futur, une sorte de tracé lumineux, de jalons. »

« Alors, sache que la véritable mémoire de l'homme, Elisabeth, ne se situe pas dans son cerveau. Celui-ci n'est qu'un relais, une sorte de centrale électrique dont la chair a besoin. Il existe une mémoire profonde dont chaque partie de notre corps est la gardienne fidèle. Bien sûr cela fait encore hausser les épaules mais qu'importe ! Cette mémoire agit dans la matière la plus dense et au plus profond de nos cellules jusque dans la matière la plus subtile, à travers nos tissus éthériques, émotionnels, mentaux et leurs centres énergétiques. Lorsque l'on a compris cela, on sait que le cerveau est un décodeur et un agent de transmission en contact avec cette autre réalité mais rien de plus. Les types de conscience et de mémoire qui nous occupent ici, ont en réalité bien peu à voir avec sa constitution matérielle. La mémoire que nous allons réveiller, celle avec laquelle tous ceux qui partent doivent renouer, c'est précisément celle du cœur.

Ne crois pas qu'il s'agisse d'un symbole ni d'un beau concept inspiré par une croyance. C'est bien plus que cela. Il s'agit d'une réalité à la fois subtile et concrète... vibratoire pourrions-nous dire. Une réalité que nous apprendrons ensemble à toucher car elle rendra tangible ce que peut être l'amour... »

« Cela, je veux le comprendre, mais... »

Elisabeth a laissé ses paroles en suspens au centre de nous-même. Ses yeux se sont soudainement mis à chercher dans la lumière crépitante qui nous englobe, comme s'ils devinaient une présence.

« C'est Sonia, fait-elle d'un souffle léger. Je sais qu'elle vient ici. Elle va s'inquiéter... je vais peut-être devoir rentrer. Quand pourrons-nous nous revoir ? »

Avant que nous ayons eu le temps de formuler la moindre pensée, la porte de la grande chambre a déjà été poussée et nous voyons deux silhouettes féminines la franchir avec précaution. Sonia et une infirmière sont bientôt au pied du lit, murmurant des paroles dont l'écho nous parvient avec une netteté surprenante.

Cependant, le corps de la conscience d'Elisabeth a été comme happé par la présence de sa fille. Il se tient à ses côtés, presque soudé, dirait-on, à l'aura de celle-ci.

Nous sommes alors stupéfaits par l'échange qui s'établit entre la mère et sa fille. A leur propre insu, l'une et l'autre mêlent étroitement leurs forces et les méandres de leurs émotions. Les teintes lumineuses de leurs âmes, telles des brumes étincelantes, se rencontrent dans leurs profondeurs, analogues à deux fleuves en leur confluent.

Sonia, en silence, vient d'esquisser un geste puis aussitôt fige celui-ci, les lèvres suspendues à quelques centimètres au-dessus du front de sa mère. Dans un flot discontinu, ses pensées parviennent jusqu'à nous.

« ...Je ne dois pas la réveiller... mieux vaut revenir tout à l'heure... aller bientôt chercher le petit... »

Elisabeth quant à elle semble désappointée par cette attitude d'excessive réserve de sa fille. Dans les fume-rolles grises et jaunes qui s'échappent du corps de son âme nous lisons la déception.

« Elle ne sait pas, susurre-t-elle, à quel point je la vois et je l'entends... Elle ne comprend pas que le sommeil du corps n'est pas forcément le sommeil de l'âme. Sa seule présence me nourrit et me réchauffe...même si je dors. Sonia... je suis si fatiguée qu'il me semble ne plus pouvoir descendre dans mon corps pour te parler et t'expliquer tout cela. Pourrai-je m'en souvenir et te le dire... plus tard ? »

Cependant l'infirmière a entr'ouvert la baie vitrée de la grande chambre, et le piaillement d'une bande d'oiseaux vient envahir tout l'espace. Dans son corps de lumière, Elisabeth a tressailli, nous a cherchés du regard puis s'est un peu forcée à sourire tandis que Sonia s'est éloignée.

« Je comprends mieux ce que cela va être, dit-elle enfin. Je ne sais si mon impression est justifiée mais il va sans doute falloir que j'accouche de moi-même... si je ne veux pas rester rivée à ce corps, coincée dans mes pen-sées. C'est trop bête. On ne peut pas partir comme on s'en-dort... en n'ayant compris que la moitié du scénario. »

« Veux-tu toujours retrouver ce que tu appelais tes "racines" il y a quelques instants, Elisabeth ? Oui ? Alors, laisse-nous t'aider à retrouver leur mémoire à l'endroit même de ton cœur... Il existe en ce lieu du corps et sur tous les niveaux où celui-ci se manifeste, une toute petite cellule ou si tu préfères un atome qui est le résumé total de l'être. Il contient l'océan de tes joies et de tes peines, toutes tes potentialités développées et aussi ce que tu as laissé en jachère. Il synthétise ce que tu viens d'appeler ton "scénario". C'est donc à lui que nous allons nous adresser. Il ne s'agit pas de le contraindre à s'exprimer, loin de là, mais de faire en sorte de dénouer les liens qui le compriment pour qu'il puisse murmurer sa richesse.

Il existe, sais-tu, une façon très simple de le stimuler tout en lui apportant un peu de l'amour qu'il réclame tant. Que tu sois hors de ton corps ou à l'état de veille dans celui-ci, prends l'habitude de poser tes deux mains, la droite sur la gauche, au creux de ta poitrine... Ferme alors les yeux et laisse-toi flotter sur un océan de lumière rose... un océan d'une telle tendresse ! Peu importe si cette lumière tarde à venir, et si la tendresse te semble faire défaut. Il leur faut le temps de s'éveiller, de cheminer jusqu'à toi... parce qu'il faut que tu te souviennes qu'elles existent et que tu les mérites. Ensemble nous essaierons de suggérer cela à Sonia, car elle aussi pourra t'aider de la sorte en posant uniquement sa main droite au centre de ta poitrine et en générant, pour toi, l'océan de lumière rose. C'est si simple, il est vrai, que cela paraît dérisoire ! En fait, il s'agit seulement, par ce petit geste, par cette disposition de l'âme, d'élargir une ouverture par laquelle la lumière pourra se faufiler chaque jour un peu plus jusqu'à toi.

Ce n'est pas un exercice mais un acte d'amour au moyen duquel la mémoire de la Paix peut recommencer tranquillement à faire surface en chaque être. C'est aussi, au-delà même de son innocence, un acte de chirurgie subtile qui éloigne de soi tous les remous du mental...

Comprends-tu bien ? »

Elisabeth n'a rien répondu à ces paroles. Elle a seulement baissé les yeux, puis son corps de lumière s'est glissé jusqu'aux nôtres comme pour y chercher refuge.

Alors, en cet instant de simple tendresse, nous comprenons que c'est dans cette grande chambre un peu vide que pour la première fois, tous trois unis, nous venons de prendre le même bâton de pèlerin.

Chapitre II

Chambre trente et un

« Attention, s'il vous plaît ! Voilà... Oui, à gauche ! »

Dans le couloir sonore de l'hôpital une voix énergique a résonné, se mêlant aux roulements des chariots métalliques que l'on pousse. Des bruits de pas feutrés, une sonnerie brève qui retentit et des effluves de boissons chaudes qui s'échappent de grands plateaux d'aluminium... tout un univers que nous aurions souhaité éviter à nouveau et qui impose sa trop souvent dure réalité.

« Trente et un ! C'est ici... »

La porte mauve de la chambre d'Elisabeth est ouverte sans ménagement par un homme qui véhicule une vieille femme de race noire, assise sur un fauteuil roulant. Le cheveu rare, enveloppée dans une légère robe de chambre à fleurs roses, celle-ci a le regard paisible et les traits détendus. Peut-être pourrait-on même lui deviner un sourire au coin des lèvres.

En entrant dans la chambre, elle adresse un petit signe de la main à Elisabeth que nous découvrons aux trois quarts assise dans son lit.

Il y a quelques jours que notre conscience ne s'est pas envolée en direction de notre amie. Aucun appel, à vrai dire, n'avait paru émaner d'elle jusqu'à cette heure. Famille, amis, chacun s'est relayé à son chevet, nous le savons... et puis voici qu'au petit matin « quelque chose » a bougé en nous, créant ce déclic qui fait jaillir l'âme hors du corps.

Aujourd'hui, dans un lit d'une blancheur immaculée, c'est une femme aux joues un peu plus creuses que nous retrouvons. Adossée à un énorme oreiller, elle regarde fixement le lent balancement de quelques palmiers qui se profilent au-delà de la baie vitrée. Dans cette attitude statique, le visage encadré par sa longue chevelure un peu sauvage, elle a acquis une sorte de beauté plus douce.

Elisabeth ignore encore que nous sommes là. Pour l'instant, elle tente de mettre bout à bout une succession de pensées ainsi qu'elle enfilerait un collier de perles. C'est le visage de la petite fille qu'elle fut autrefois qui l'habite... et puis cette robe à carreaux oranges et jaunes qu'elle aimait tant et qu'elle avait fini par déchirer en jouant près des cactus. Elle portait un nom qui l'avait fascinée toute sa vie sans qu'elle sache pourquoi... Madras. Cette déchirure, comme elle s'en souvient ! Elle lui avait valu les moqueries d'un garçon sur le chemin de l'école et surtout la première gifle de sa mère.

Mais pourquoi toutes ces images revenaient-elles ? Il y a des dizaines et des dizaines d'années qu'elles étaient ensevelies...

Perdue dans le puzzle de son passé, Elisabeth n'a guère remarqué l'arrivée de sa vieille voisine de chambre. A peine allongée sur son lit, celle-ci se met d'ailleurs aussitôt à pousser de longs soupirs dans sa direction comme pour attirer son attention.

« Oh… ça n'a pas duré bien longtemps… » réagit enfin Elisabeth en se tournant soudainement vers elle. « Cela s'est bien passé ? »

« Les radios… finalement, c'est toujours à peu près pareil ! lui répond la vieille femme. Il fait beau dehors… vous pensiez à votre petit fils ? »

« Non,… à une petite fille. Je ne sais pas pourquoi, mais j'aimerais bien que ça s'arrête et pouvoir dormir un peu. Ça m'a tenue éveillée une partie de la nuit. »

« J'ai bien vu que vous ne dormiez pas beaucoup cette nuit… vous aviez souvent l'air de regarder droit sur le mur d'en face ! »

« Vous allez sûrement rire, mamie… souvent je vois comme des formes humaines qui s'y déplacent. C'est très précis, il n'y a que les visages que je ne distingue pas, même lorsqu'ils se penchent sur moi. Cela arrive souvent. L'autre nuit, j'ai même vu l'une de ces formes s'asseoir sur la chaise juste à côté de moi. Ça me fait du bien. Même si c'est moi qui invente tout cela, je ne peux pas m'empêcher d'y réfléchir. »

« Moi, cela ne me fait pas rire… non, non. J'ai déjà vu cela aussi, plusieurs fois, il y a quelques années lorsque mon cœur n'a plus voulu marcher… plusieurs mois après la mort de mon mari. Mais c'est normal… »

« Vous croyez aux fantômes, mamie ? »

« Qui vous parle de fantômes ? Vous dites cela comme si vous disiez "les petits hommes verts" ! Je crois à ce que je vois et je sais bien ce que je vois… c'est tout… Il y en a qui ne veulent même pas voir ce en quoi ils croient ! Ils s'y refusent ! »

« Pourquoi dites-vous cela ? »

« Parce que c'est vrai... Vous n'êtes peut-être pas croyante, mais l'autre jour à la sortie de l'église, il n'y avait que des vieux et des jeunes qui se lamentaient sur je ne sais plus qui, qui venait de mourir ! Comme si c'était la fin du monde... Ils n'avaient rien compris de ce qu'ils venaient de dire et d'entendre pendant l'office, rien du tout ! »

Sur ces mots, un silence un peu lourd est tombé dans la grande chambre aux murs couleur ivoire. Nous voyons bien qu'Elisabeth ne peut guère le supporter longtemps. Elle tente de se redresser un peu plus dans son lit puis reprend :

« Alors, tout cela ne vous fait pas peur ? »

« Peur ? Pour quoi faire ? Je suis seulement plus logique que toi ! Si je vis avec des fantasmes, eh bien c'est simple, lorsque la mort viendra me chercher, je ne ferai que m'endormir comme tous les soirs, c'est tout ! Sinon... si ce que je vois et si ce que je crois est vraiment vrai, alors j'ai toutes les raisons de ne pas avoir peur ! »

« Vous croyez que ce n'est pas plus compliqué que cela ? »

« Et pourquoi cela le serait-il ? »

« Mais parce que je veux être lucide, moi... Je ne veux pas croire parce que "ça fait du bien" de croire... »

Pour toute réponse, la vieille femme s'est enfoncée au fond de son lit et a soupiré bruyamment.

« Je comprends pourquoi tu es si fatiguée, ajoute-t-elle enfin, c'est parce que tu ne crois pas en ton âme... »

« Mais si, j'y crois ! »

« Eh bien alors ? »

« Alors... »

Elisabeth est restée sans voix puis a dirigé un regard fixe vers le mur qui fait face à son lit, comme si elle y devinait soudain notre présence. Nous voyons alors que quelques larmes perlent aux coins de ses yeux tandis qu'elle tente de rassembler ses pensées.

« Tu vois, reprend la vieille femme d'un ton très doux, tu vois, quand on ne sait pas... ou quand on ne sait plus, il faut d'abord le reconnaître et puis aussi faire confiance. Il ne faut surtout pas essayer de ressembler à ces messieurs très sérieux et très contents d'eux-mêmes que l'on nous montre dans toutes les émissions de télévision. Je me souviens bien...ceux du mois dernier étaient psychiatres et psychologues. Ils ont passé plus d'une heure à essayer de nous convaincre qu'il n'y avait rien après la mort... et que notre âme, c'est de la plaisanterie ! Ils y mettaient un tel acharnement qu'on aurait dit que cela leur aurait fait terriblement mal si quelqu'un leur avait démontré que la vie ne s'arrête jamais. Ils devaient être bien peu satisfaits de la leur pour vouloir ôter tout espoir à des milliers d'autres personnes. Quant au prêtre qui était là, il en parlait avec des termes tellement vagues que personne ne l'écoutait. La vérité, c'est qu'il ne savait rien d'autre que son caté-chisme. Il récitait des formules toutes faites.

Je sais bien que tu es d'accord avec moi... ne me dis pas le contraire... »

« Je voudrais dormir, mamie... je sais que vous avez raison mais je ne suis pas aussi forte que vous. »

« Tu sais, être fort c'est souvent arrêter ce petit moulin que nous avons tous dans notre tête. C'est lui qui nous donne toutes les excuses pour être malheureux et faibles... Enfin, ça y est, je me tais. »

Elisabeth a déjà fermé les yeux depuis un moment lorsque le silence vient à nouveau étendre son manteau sur la chambre. Un sourire un peu forcé s'est figé au coin de ses lèvres, un sourire que nous voudrions voir se détendre enfin pour devenir pleinement lui-même. Une force, une intuition, nous poussent maintenant vers les pieds d'Elisabeth. De l'espace où nous sommes, sans même les effleurer au travers des draps, nous les devinons froids, froids comme hier et comme tant d'autres jours, sans doute. La vie, ainsi que chez nombre d'hommes et de femmes, y circule en pointillés, elle y béguaie presque... parce qu'on ne veut pas vraiment d'elle. N'est-ce-pas Elisabeth ? Qu'en dis-tu ?

En une fraction de seconde, notre amie nous a rejoints à deux pas du lit où son corps somnole. Nous l'avons vue s'extraire de son enveloppe charnelle en glissant lentement par son côté droit, puis hésiter un instant avant de se redresser, telle une flamme encore vacillante qui cherche le ciel.

Elisabeth est presque surprise de se trouver là, une nouvelle fois face à nous. A la lumière qui rayonne de son âme nous comprenons qu'une torpeur l'imprègne encore.

« Oh, vous êtes là... »

« Mais nous sommes là bien plus souvent que tu ne l'imagines ! C'est juste un appel de ton cœur qui fait que tu prends mieux conscience de notre présence aujourd'hui. »

« Je ne m'en souviens pas... J'ai seulement la sensation de faire un rêve pour tromper ma solitude. »

« Tu ne t'en souviens pas parce que tu crois que seuls ton intellect et ta volonté sont capables d'émettre des pensées. Tu oublies que c'est tout ton être qui vit et s'exprime. »

« Vous appelez ça la vie et l'expression ? » lance aussitôt Elisabeth d'un ton désabusé, en nous montrant de la main son corps endormi sous les draps.

« Il y a en ce moment même sur terre, des centaines de milliers d'êtres qui souffrent comme toi, Elisabeth... et ils souffrent d'autant plus qu'ils ont bloqué la Force de Vie dans leur tête. Ils n'existent plus que par et pour leur mental. Veux-tu leur ressembler ? Si c'est cela ton seul souhait, nous ne pouvons pas grand chose pour toi, parce que tu croiras en ta solitude et en l'injustice de la vie. Tous les lieux de souffrance du monde sont constamment visités par des êtres tels que nous, incarnés ou non, dans le seul but de soulager, d'ouvrir toutes grandes les fenêtres de l'âme et de tendre une main... mais encore faut-il qu'une main se tende également vers eux ! Comprends-tu ce que nous voulons dire ? C'est à ce qui en toi sait aimer que nous nous adressons. C'est dans cet espace-là que nous voulons entrer. Sache que nul n'est seul, Elisabeth. Pourquoi voudrais-tu donc que la chaleur vienne te visiter, si tu ne prends pas soin de l'inviter ? Lâche dès maintenant les rênes de ton raisonnement et apprends à être un peu plus toi-même. De quoi as-tu peur ? »

« Justement... j'ai peur d'être moi-même, peur de ce que je vais découvrir au fond de mon cœur, peur aussi de voir que j'ai peut-être fait fausse route. »

« Voilà où se situe l'erreur, Elisabeth ; le cœur dont nous voulons parler est un espace absolument pur et infini, la source immaculée qui somnole en chacun de nous. Le cœur que tu évoques n'est, quant à lui, que sa contrepartie un peu caricaturale, simplement le siège des passions, des désirs et des sentiments souvent indéfinissables et mélangés. C'est celui-là qu'il faut écarter car il est l'usurpateur qui nous entraîne sur les chemins cahoteux que nous connaissons tous trop bien. La déchéance physique et morale est le plus éclatant résultat de sa corrosion ; c'est pour cela que tous ceux qui sont au crépuscule de leur vie doivent apprendre à détendre les muscles raidis de leurs habitudes mentales et passionnelles.

C'est pour cette raison aussi que tous ceux qui s'apprêtent à quitter cette vie doivent s'efforcer de retrouver leurs véritables racines.

Sais-tu pourquoi ta conscience a quitté si rapidement ton corps il y a quelques instants ? »

Elisabeth demeure muette devant notre question. Seules quelques rides que l'enveloppe de son âme traduisait encore il y a peu de temps, ont disparu de son front.

« Tu es venue rapidement vers nous parce que nos mains subtiles ont saisi puis caressé la plante de tes pieds. Cette zone du corps est le premier point de contact que nous avons tous avec le monde matériel. N'est-il pas logique, dès lors, que toutes les blessures que ce monde nous fait éprouver y laissent de vieilles empreintes ? Partir guéri, vois-tu, c'est d'abord accepter de reconnaître l'existence de ces empreintes, puis aspirer paisiblement à les gommer. Insuffler la vie par la plante des pieds, Elisabeth, c'est avant tout dilater les canaux et les centres subtils de cette partie du corps pour que la vie de la terre s'y engouffre et y opère son œuvre de détente. Notre équilibre, et nous l'oublions souvent, tient tout autant de notre rapport avec le sol que de l'habileté avec laquelle nos neurones fonctionnent. De retour dans ton corps, apprends à respirer par la plante de tes pieds. Doucement, essaie de ressentir la présence d'un large cône de lumière qui pénètre dans chacun de tes talons. Une force suave, telle une brise printanière, s'y faufilera alors et remontera le long de tes jambes, jusqu'à faire revivre ton bassin.[1] Ce sera pour toi

---

1 - Cette pratique peut être également faite par une tierce personne. L'accompagnateur, le guide, prendra alors dans chacune de ses mains les talons de celui dont le départ semble proche et y insuffle une lumière de la façon décrite précédemment. Une telle pratique ne cherche

60

une première façon de dire à nouveau « oui » à ce monde que tu as rejeté depuis tant d'années. Ce ne sera pas un « oui » de faiblesse ni de compromission Elisabeth, mais un gage d'acceptation de la justesse puis de l'utilité de tout ce que tu as vécu. »

La silhouette fragile d'Elisabeth s'est dirigée doucement vers la baie vitrée comme pour contempler les teintes chaudes du parc extérieur. Nous sentons que son âme se met à « respirer » un peu plus, qu'elle accepte de mieux entrer en métamorphose. Elle passe lentement une main dans la lumière de ses cheveux pêle-mêle puis nous répond enfin.

« La justesse et l'utilité... Je suis encore si peu prête à accepter cela... même si les premiers jours de révolte sont bien loin de moi. Après l'anesthésie du choc, le refus et l'écœurement, je ne sais plus dire aujourd'hui qu'"à quoi bon" !

Je veux vous croire, mais c'est en moi que je ne crois toujours pas. Je ne sais si mon temps doit s'arrêter là... depuis le départ, ou si les dernières années que je viens de passer n'ont été qu'un lent suicide. »

« Laisse-nous te dire... Chacun de nous a une heure juste et précise pour abandonner son corps charnel. Cette heure n'est pas arbitraire ; elle a été déterminée par... ce que nous pourrions appeler des Forces de Lumière, en fonction de toute l'histoire de notre être, en fonction aussi de ce que nous avons à accomplir et de l'impact que nous laissons nécessairement sur autrui et le monde. Cette heure

---

pas à imposer une vie dont un corps ne veut manifestement plus mais suggère et facilite un état de pacification avec celle-ci, gage d'un départ plus « fluide ». *(Voir l'annexe en fin d'ouvrage)*.

juste, nous l'acceptons ou nous la refusons plus ou moins consciemment. Le suicide, ou certaines maladies graves qui rongent les unes après les autres les défenses d'un organisme sont les manifestations d'un tel refus dans l'immense majorité des cas. Elles témoignent d'une façon de dire "non" à la poursuite d'un itinéraire. Dans ce domaine, il n'y a de leçon de morale à faire à qui que ce soit, vois-tu, car la vie humaine privilégie avant tout un rapport avec la liberté et le choix. »

« Mais la liberté, croyez-vous que je l'ai eue ? Qu'est-ce qui m'a ainsi détruite ? »

« Ce qui t'a abîmée et non pas détruite, Elisabeth, ce ne sont ni vraiment les êtres que tu as rencontrés ni les événements mais en vérité tes rapports avec ceux-ci, ta façon de les comprendre, de les recevoir et de t'y confronter.

La liberté dont il nous arrive tous de douter, résulte davantage des limites que nous nous imposons que de toute autre contingence. Nous forgeons nos chaînes avec de multiples peurs et aussi d'innombrables tabous. Ainsi, regarde ce corps qui te permet de venir vers nous aujourd'hui, il est fait d'une matière qui ressemble à la lumière... Il est pleinement toi, l'autre face de cet être qui peine à deux pas au fond de ce lit. Eh bien, as-tu pensé un seul instant que tu pouvais par exemple l'emmener hors de cette chambre ? Comprends-tu ? Pourquoi fermer des portes au corps de ta conscience ? »

« Cela ne m'était pas venu à l'idée... »

« Le véritable problème de notre vie est souvent là, Elisabeth. Nous nous interdisons une foule de choses justement parce que nous avons ôté de nous le concept de leur réalisation possible. La société que nous avons tous contribué à bâtir a posé des lignes jaunes, lignes continues sur la

62

route où nous marchons. Ces lignes, nous en avons fait en quelque sorte des murs de béton infranchissables, tandis qu'un simple déclic de notre conscience mettrait en évidence leur côté illusoire et totalement arbitraire.

Nous sommes tous un peu malades de nos impossibilités... Le parc que tu aperçois chaque jour au travers de cette vitre t'attire ? Alors, laisse-toi aimanter par lui, abandonne-toi à sa réalité. »

En entendant ces paroles, Elisabeth a haussé les épaules d'un air amusé. Pourtant la voilà maintenant qui avance vers la baie vitrée de la chambre et tend un bras pour en palper la matière. Dans cette tentative, nous sentons qu'il nous faut la rejoindre et la guider. C'est un instant de bonheur qu'il nous est alors donné de vivre. Bonheur d'être unis à une amie qui fait ses premiers pas concrets vers une autre dimension d'elle-même. Bonheur aussi de lever une barrière. D'un même élan paisible, nos corps franchissent sans attendre et avec fluidité la fine paroi de verre qui nous séparait du parc. Un léger frisson, quelques petites flammèches fugitives, et le tissu de nos corps subtils se mêle un instant aux atomes de la baie vitrée. Une douce fraîcheur nous a envahis, puis plus rien... Plus rien d'autre qu'un calme absolu et une irrésistible envie de respirer du fond de notre âme.

La beauté du parc, ses palmiers, ses bougainvilliers et ses agaves s'offrent désormais pleinement à la conscience d'Elisabeth, toute surprise de ne pas voir ses pas s'imprimer sur le gravier de l'allée.

« Je savais tout cela, nous dit-elle avec émotion, pourquoi alors l'ai-je oublié ? Ce que je viens de vivre est pour moi un symbole... je porte en moi l'image d'une coquille qui éclate sous la pression de mon cœur. Oh, si je pouvais partager ces instants avec tous ceux dont l'âme a peur et s'asphyxie ! Je voudrais tant ne plus revenir dans mon corps ! Pourquoi faut-il encore qu'il s'acharne à respirer et à battre ? »

« Parce que la Vie veut te donner jusqu'au bout l'opportunité de te réconcilier avec lui et avec ce qu'il t'a fait connaître... »

« Mais la vie est dans mon âme, dans ma conscience, pas dans ce corps ! »

« Voilà le véritable pas qu'il faut franchir... La Vie est partout. Le peintre est tout entier présent au bout de son pinceau et dans la substance de ses couleurs lorsque son être s'exprime sur une toile. Notre âme n'est pas le seul artisan de notre vie... Tous les prolongements de la vie sont la Vie elle-même, Elisabeth. Tu ne peux en dénigrer aucun des rouages.

Comme la plupart de ceux qui s'apprêtent à abandonner leur corps, tu ne quitteras le tien en paix qu'après lui avoir vraiment souri. Nous jouons tous une immense pièce de théâtre en ce monde et si la Vie ne nous distribue pas à tous de grands rôles, elle nous demande d'interpréter le nôtre du mieux possible, c'est-à-dire avec simplicité et authenticité. En fait, vois-tu, ce n'est pas l'ampleur du rôle qui compte mais le cœur avec lequel nous le jouons.

En réalité d'ailleurs, il n'y a pas même de grands ou de petits rôles, il n'y a que la façon de les interpréter... et la dernière heure vécue peut suffire à faire de chacun de nous un bon acteur pour peu que des paroles d'amour vrai et total fleurissent en nous et osent jaillir au bout de nos lèvres.

Le départ vers d'autres horizons de la vie est une initiation. Il faut essayer de le vivre comme telle et non pas comme une punition. »

« Je peux me dire tout cela, bien sûr, répond Elisabeth en frôlant de la main les luminescences mauves qui jaillissent d'un aloès, mais comment en être persuadée jusque dans ma chair ? Celle-ci a emmagasiné ses propres vérités et je vois bien qu'elle réagit maintenant anarchiquement. Ce n'est plus moi qui commande à mon corps. Il fait ce qu'il veut, véritablement comme s'il avait ses souvenirs personnels. Au milieu de tout cela, je me sens totalement abandonnée, coupée du ciel et de la terre, incapable de partager mes pensées avec qui que ce soit et encore moins avec ceux que j'aime. Puisqu'il me semble parfois ne plus avoir d'avenir c'est alors le passé qui resurgit en moi avec force. Souvent des épisodes étranges, totalement oubliés, sans doute anodins, remontent à ma conscience avec une émotion inouïe, presque comme si ma vie s'était jouée essentiellement avec eux. C'est une pudeur qui m'empêche d'en parler. »

« Alors, vois-tu, c'est ton corps qui finit par les traduire à sa façon. Nos corps subtils, Elisabeth, sont une gigantesque mémoire. Nos émotions, nos pensées, sont semblables à des sacs plus ou moins hermétiques, plus ou moins poreux, que nous y entassons pêle-mêle. Si nous ne les visitons pas de temps à autre, si nous ne les vidons pas de leur contenu, ils vivent et se développent en nous, à notre place, et nous finissons par ne plus savoir qui nous sommes au juste et où nous allons. Nous leur abandonnons le gouvernail du navire. Nous ne sommes plus alors qu'amas d'émotions, d'inhibitions et de rancœurs. Chacun sait cela, bien sûr, mais il est des instants dans notre vie où il ne faut plus simplement le savoir ; c'est-à-dire qu'il devient parfois urgent de se libérer du passé.

Ainsi, à chaque fois que tu sauras formuler clairement une vieille peine, une douleur contenue depuis longtemps, un de ces sacs dont nous t'avons parlé commencera à se vider de lui-même, à se dégonfler. Les "formes-pensées", on peut les appeler ainsi, sont parfois tels des abcès qu'il faut avoir le courage d'inciser. Chacun a la possibilité de laver de cette façon le corps de sa conscience. Ce que l'on appelle mourir, Elisabeth, peut devenir une magnifique occasion pour rénover son cœur. Ce doit être aussi un apprentissage pour tenter de vivre dans le présent... car dès que le passé n'est plus un fardeau, l'être profond respire plus pleinement la richesse de chaque seconde qui s'écoule. »

Tandis que nous nous déplaçons dans le monde subtil du parc de l'hôpital, nous remarquons bientôt que d'autres formes de lumière le peuplent également çà et là. Ce sont des silhouettes humaines assemblées, ainsi que nous le faisons, par petits groupes de deux ou trois et il s'en trouve une, près d'un hibiscus, pour nous adresser un léger signe de la main.

« Mais que font-elles ? »

« Exactement la même chose que ce que nous faisons tous trois, Elisabeth. Elles parlent de vie et d'espoir. Elles tentent de semer quelques graines de paix. Les abords des lieux où des êtres souffrent sont toujours peuplés de la sorte. Dès qu'une âme demande de l'aide et s'ouvre réellement à cette aide, ce que l'on appelle d'une façon un peu naïve "l'Au-delà" y répond. Ainsi, vois-tu, les couloirs des hôpitaux sont-ils très souvent visités par des consciences qui viennent réconforter et épauler d'autres consciences. »

« Mais combien de fois n'ai-je pas appelé... et cela depuis des années avant que vous ne veniez ! Et jusqu'à présent, je n'ai qu'un souvenir flou de votre présence lorsque je réintègre mon corps... »

« Regarde bien en toi, Elisabeth. Essaie de te remémorer la façon dont tu as appelé. L'as-tu fait avec une volonté tendue, en une sorte de reproche adressé à l'Invisible... ou du plus profond de ton cœur, dans un élan de total abandon à l'Infinie Lumière ? La clarté d'une réponse tient souvent à la limpidité d'un appel. Tant que tu voulais enfoncer des portes et raidir ton mental pour tout aplanir et tout ordonner à ta façon, tu ne pouvais rien percevoir de ce que le monde subtil te proposait. Nous savons qu'un certain nombre d'êtres qui te sont chers ont régulièrement tenté de t'aider depuis le jour où ta maladie s'est déclarée, mais tu ne pouvais les voir car c'était ce qu'il y a de plus petit, de plus rigide en toi qui se débattait dans ton corps. Aujourd'hui, les choses ont un peu changé et c'est pour cela que le souvenir de nos rencontres va petit à petit émerger avec de plus en plus de précision dans ta conscience en état de veille physique. Tout est affaire de détente. Pour comprendre à quel point nul n'est jamais seul lorsqu'il souffre ou qu'il s'apprête à quitter cette terre, il faut que chacun cesse de vouloir imposer sa loi et son marchandage à la Force de Vie qui l'habite.

Il faut que l'âme qui aspire à "autre chose" se rende disponible, comprends-tu ? Et tout le travail de ceux qui veulent l'aider tend à cela également.

Dès que l'on accepte de ne pas être un dictateur envers soi-même et de ne pas non plus régenter le monde qui nous entoure au moyen de notre petite volonté, le plus gros obstacle qui empêche la communication avec le subtil "en nous" et "hors de nous" s'effrite.

"Que la volonté de la Vie soit faite" ; ces paroles ne devraient jamais nous quitter, qui que nous soyons et dans quelle que circonstance que ce soit. Ainsi, ce n'est pas à l'approche de l'ultime passage qu'il faut apprendre à se situer par rapport à la Source d'Amour... mais à chaque instant de notre séjour sur terre. »

« On m'a toujours appris à ne pas parler de ces choses, alors, comme beaucoup d'autres, je pense, j'ai toujours éludé la question. Pour mes parents et mes proches, il n'était pas concevable de se préoccuper de la mort tant que l'on ne se trouvait pas à son seuil. Si on le faisait, cela dénotait immanquablement un sens du morbide et selon leur expression, "un esprit sinistre"... Et voilà maintenant que vous m'enseignez le contraire. Alors, est-ce que mourir, cela s'apprend vraiment ? »

A ces mots, nous nous sommes arrêtés tous trois près des quelques marches qui mènent à l'entrée principale de l'hôpital. Adossé à son véhicule, un chauffeur de taxi, la cigarette à la bouche, attend là, nonchalamment, le retour de son client. L'espace d'un instant, nous captons le désordre de ses pensées... le tiercé du jour... l'anniversaire de son fils... et nous comprenons aussitôt qu'Elisabeth s'en trouve blessée.

Comment quelqu'un peut-il nourrir des pensées aussi anodines tandis que elle, Elisabeth, se trouve si mal et essaie de comprendre le sens de sa vie !

Cet élan de révolte n'a pas plutôt germé chez notre amie, que nous sentons un frisson parcourir son corps.

« Vous voyez à quel point il m'arrive de me concevoir comme le centre du monde... J'ai perpétuellement en moi je ne sais quel réflexe de rejet d'autrui et cette sensation sournoise d'être une victime... »

68

« Tu nous demandais si mourir, cela s'apprenait... mais tu aurais pu poser la même question en rapport avec la vie. Celui qui sait vivre, sait également quitter son corps de chair, Elisabeth. De la qualité d'une existence terrestre, dépend bien souvent celle d'un départ. Les deux sont intimement liées. Encore faut-il comprendre maintenant la signification de « savoir vivre ». N'attends pas de nous que nous te fournissions une réponse toute construite. La réponse, c'est toi qui vas la découvrir à l'issue de l'itinéraire que nous allons continuer à partager ensemble. »

« Mais n'est-il pas trop tard pour que je comprenne tout cela ? A quoi bon, maintenant ? »

« Ce n'est ni la durée d'une vie sur terre, ni le nombre de choses qu'on y a faites ou cru y faire qui font mûrir l'âme. C'est l'intensité de ce que celle-ci y a vécu, la force et la limpidité avec lesquelles elle s'est écrite elle-même. S'écrire soi-même ! Voilà ce qui nous est demandé jusqu'au bout, vois-tu. Ce que nous appelons erreur ou faute n'est, en fait, qu'une exploration par notre ego de l'espace infini des chemins possibles de la vie. C'est un apprentissage de la liberté, qui, même s'il s'avère parfois douloureux, joue le rôle d'un engrais dans notre jardin intérieur.

Que ton être ne se tourmente donc pas de ce qu'il pense ne pas avoir correctement accompli. Les regrets et les remords ne savent faire qu'une chose : durcir la périphérie de l'âme, la rendre imperméable à une immense force d'Amour qui ne demande qu'à la couvrir de son manteau.

Tu aspires à un amour absolu ! Nous le savons, mais au lieu de te maudire de ne pas avoir su le saisir, commence simplement à t'ouvrir à un peu de tendresse. L'heure n'est jamais trop tardive pour réussir sa vie et en faire une gerbe de fleurs. Ecoute ceci : lorsque, hors de nos corps de chair, il nous arrive de contempler les auras de lumière émises par un grand nombre d'êtres qui s'apprêtent à quitter ce monde, nous voyons à quel point ceux-ci se sont souvent bâti leur propre prison. La force de leur rayonnement mental, le bouillonnement désordonné de leurs émotions ont tissé autour de leurs corps subtils une véritable coque, sorte de carapace de protection derrière laquelle ils finissent par étouffer. Ce n'est pas une image inventée à des fins moralisatrices... mais une réalité d'ordre vibratoire. Nous vivons dans un univers où la Matière ne représente que l'état le plus densifié de l'Esprit. La qualité vibratoire de la matière de nos corps de chair – et par cela nous voulons dire leur plus ou moins grand degré de pureté ou de pollution – est à l'image de notre capacité d'aimer. Ainsi, l'amour qu'un cœur peut émettre génère-t-il une confiance et une générosité qui sont de merveilleux dissolvants pour la carapace que nous venons d'évoquer. Si tu comprends cela, Elisabeth, l'essentiel de ce qu'il te faut développer pour partir en toute paix est acquis. »

« Mais, répondez-moi encore un peu plus... Est-ce que mourir, cela s'apprend vraiment ? »

En disant cela, Elisabeth s'est littéralement jetée dans nos bras, les yeux écarquillés comme ceux d'une enfant partagée entre l'interrogation, la crainte et l'émerveillement.

« Ce qui s'apprend d'abord, à vrai dire, c'est la juste compréhension du mot "mourir". Interrogeons un millier de personnes et nous aurons presque autant de réponses qui nous feront de la mort un portrait hideux, une image d'angoisse faite de questionnements et de vide.

C'est l'aveu flagrant d'une ignorance totale. Pour mieux saisir ce qui se passe, commençons d'abord par ne plus utiliser ce vieux mot "mourir". Comme tous les mots, il est chargé d'un cortège de clichés statiques qui brident la pensée. Il faut donc t'extraire de sa toile d'araignée. Une chose, un fait, n'existe réellement que si nous entretenons son concept en nous. Il ne s'agit pas, évidemment, de nier la mort, il s'agit de revoir intégralement sa signification. Il faut cesser d'en faire une porte sur le néant et révéler l'accès qu'elle offre vers l'Infini... car, plus que le fait lui-même, c'est le nom dont on l'habille qui effraie. Ainsi, parle de départ, parle de passage ou de métamorphose, invente mille mots si tu le souhaites mais abandonne ceux qui sont grimaçants puisque usés par des millénaires d'incompréhension. Espère plutôt "rendre l'âme" que de mourir, car tu salues ainsi la présence d'un Principe supérieur en toi et tu suggères en même temps son envol. Oui, le Verbe est créateur, Elisabeth. Celui qui sculpte sa vie avec les mots ne joue pas avec le vent. Il lui donne une trajectoire bien précise, s'invente des cadenas ou au contraire s'offre des clés d'or.

La beauté de ce que tu t'apprêtes à vivre dans ton âme dépend de l'ouverture de celle-ci, mais pour que celle-ci s'ouvre, elle doit se déshabiller de ses a-priori.... de toutes les fausses certitudes que la culture a incrustées en elle. Sache donc que tu entres maintenant dans le champ de tous les possibles dont ton cœur a soif. Voilà le B.A.BA qui peut te préparer à ta nouvelle vie. »

« Ma nouvelle vie... vous en parlez tellement comme d'une réalité ! »

«... Mais une réalité que tu commences déjà à goûter ! »

« Je suis privilégiée, n'est-ce pas ? »

« Pourquoi donc ? Tous ceux qui s'envolent vers une autre réalité d'eux-mêmes sont privilégiés, car pour la Suprême Conscience par laquelle ce monde respire et s'organise, chaque être est un joyau unique. Même si chacun

71

boit la coupe du départ à sa façon, nul n'est oublié. Ce qu'il faut savoir, c'est que ce que l'on appelle poétiquement "le Ciel" se montre infiniment moins muet que l'humanité ne se montre sourde. Le moyen de rendre celle-ci plus attentive, plus réceptive ? Nous te dirons qu'il se découvre d'abord beaucoup plus par la compassion que par un flot de paroles. Crois-tu que par une simple accumulation de termes, par ce qui ressemblerait donc à une théorie, nous pourrions changer quelque chose en toi, si nous te rencontrions physiquement chaque jour ? Ton intellect accepterait certaines choses ou se refermerait irrémédiablement, mais ce serait toujours ton intellect que nous toucherions.

La première des fleurs qui doit éclore chez celui qui veut guider les âmes est donc la compassion, vois-tu... car le parfum dont elle imprègne l'âme, aide le mot juste à jaillir de la poitrine, le mot qui jamais ne cherche à convaincre, à inculquer quelque croyance. La compassion n'a que faire de la réthorique, ni d'hypothèses métaphysiques ou de croyances religieuses. Elle ouvre l'oreille du cœur chez celui qui la reçoit, elle demeure le premier outil de la communication entre l'âme et le corps... parce que l'Esprit est son moteur.

Il existe maintenant un second outil, à la portée de tous et qui, à sa façon, facilite la communion entre celui qui part et l'univers qui l'attend. Toi et nous, à la fois, tenterons de le suggérer à Sonia.

Il existe deux zones légèrement en creux, situées aux deux tiers de la hauteur de la nuque, derrière chaque oreille. Ces zones, il faut le savoir, réclament dans les périodes de tension mentale de très légers mais fréquents massages dans le sens inverse des aiguilles d'une montre. Une telle action sur elles permet la libération rapide de tout un réseau de circulation subtile dont les ramifications sont en corrélation étroite avec un point situé entre les deux yeux[1]. En termes différents, le massage ou la simple imposition des mains sur ces deux points du corps, permet une évacuation plus rapide d'une infinité de scories éthériques dues à l'action polluante de certaines formes-pensées. Te souviens-tu de ces sacs énergétiques constitués par l'activité mentale ? Il s'agit simplement d'activer l'élimination de leurs déchets. Comprends bien, maintenant, qu'il ne s'agit pas d'un acte purement mécanique. Il doit être accompli en conscience, et celui qui reçoit un tel soin peut en amplifier la portée en posant pendant ce temps sa main droite au centre de sa poitrine.

Les deux points que nous avons situés, sont également deux zones qui, lorsqu'elles sont encombrées comme nous venons de le décrire, peuvent aisément polariser ou orienter les rêves chez une personne qui souffre et dont la sensibilité est à fleur de peau. En effet, vois-tu, leurs scories éthériques ne demeurent pas dans la seule périphérie du corps physique. Elles s'étendent jusqu'à constituer parfois de véritables nuages relativement denses sur toute la partie supérieure du corps, à tel point que, lorsque l'être s'endort, elles empêchent le corps de sa conscience de se dégager réellement et complètement de l'enveloppe charnelle. Elles constituent une sorte de filet poisseux qui est à l'origine d'insomnies ou de cauchemars. En général, d'ailleurs, on peut dire que dès que le corps de la conscience ne parvient pas à s'extraire complètement du physique (il peut lui

---

1 - Il s'agit d'un réseau de nadis dont l'action influe entre autre sur l'équilibre et l'ouverture du plexus frontal (ajna ou troisième œil).

arriver de rester accroché par la nuque, les pieds... mais aussi l'estomac), il sombre dans un univers trouble, cauchemardesque. »

« Est-ce bien pour cette raison que mes nuits sont si souvent remplies d'images douloureuses et de situations inextricables, ces dernières semaines ? »

« C'est en tout cas une raison suffisante. Ce que nous appelons rêve, Elisabeth, est une forme d'hologramme généré par la conscience et dans lequel le corps de celle-ci se déplace. Une bonne partie des cauchemars résulte du même processus, mais dans lequel la conscience et son corps demeurent bloqués dans la périphérie de notre monde matériel et de nos formes-pensées à taux vibratoire très bas.

Comprends-tu bien pourquoi des massages précis et doux de certaines parties du corps peuvent considérablement faciliter le dégagement de notre être subtil ? La force vitale peut y évacuer ses déchets. La totalité de la plante des pieds, le creux de l'estomac et la partie inférieure de chacune des deux dernières côtes, sur l'avant du corps, sont aussi des zones que, dans cette optique, on peut régulièrement libérer. »

Elisabeth s'est peu à peu mise à nous scruter avec davantage d'intensité. Plus rien de ce qui nous entoure, le petit univers du parc avec sa végétation chaude, les pensées désordonnées des visiteurs qui nous frôlent parfois, plus rien de tout cela ne semble la captiver. On dirait plutôt qu'elle tente de graver en elle la particularité de nos regards et la résonance de nos voix.

« Pourrai-je jamais me souvenir de tout cela... ? »

« Tu le peux, Elisabeth, tu le peux si tu décides de jouer le jeu de la sincérité. »

« De la sincérité ? »

« ...Et de la lucidité. Dès qu'un corps et qu'une âme souffrent, tu le sais bien, tout en eux est exacerbé. Mille images, mille schémas issus du passé ou d'un imaginaire tourmenté les habitent souvent. La plupart d'entre nous les verrouillons en nous-même ; nous les enfouissons dans notre domaine secret sans savoir que le simple fait d'accepter de commencer à les libérer pourrait donner accès à une mémoire beaucoup plus profonde et beaucoup plus totale en nous.

Si l'on a le courage de soulever un coin du rideau, il y a un grand rayon de soleil qui peut venir révéler sa présence et nous révéler à nous-même par la même occasion.

Ainsi, Elisabeth, de retour dans l'enveloppe de ton corps, tente d'exprimer librement tes souvenirs et les horizons qui te peuplent. Parle ouvertement des visages qui, peut-être sans raison apparente, s'impriment en toi. Que te disent-ils, de quelles atmosphères sont-ils chargés ? La reconnaissance et l'acceptation d'une simple ambiance qui germe en soi peuvent souvent devenir une clé pour comprendre ce que nous vivons. N'aie donc pas peur de parler, de vider ton cœur, alors, tout ce que tu vis jusqu'au fond de ton sommeil ou de tes demi-consciences viendra à ta mémoire avec plus de clarté et de richesse. »

« Mais j'ignore si Sonia comprendra... »

« Ce qui importe, c'est que toi tu comprennes. Il faut enfin cesser d'agir, vois-tu, d'après le jugement ou l'appréciation d'autrui.

L'heure d'être toi-même est bien là, plus que jamais. Ne t'imagine plus ce que l'autre pourrait imaginer de toi. La rive qui va t'accueillir n'ouvre pas ses bras à la superficie de l'être. Il faut donc que, paisiblement, tu rassembles ce qu'il y a de plus vrai en toi, parce que seul ce bagage-là franchit la frange mouvante entre les deux versants de la vie.

Jusqu'à la dernière seconde, chacun de nous s'avère capable de grandir, Elisabeth ; jusqu'à la dernière seconde, nous orientons la trajectoire de notre âme.

Aucune des circonstances dans lesquelles tu te trouves encore placée aujourd'hui n'est le fruit d'un hasard ; toutes, même si elles te paraissent incompréhensibles ou injustes, ont pour fonction de t'amener, bon gré, mal gré, jusqu'à un certain point de croissance. Jusqu'à la personnalité de ta voisine de chambre... jusqu'à ses préoccupations et à ces choses qu'elle t'oblige à exprimer ou à réprimer en toi, tout est un signe. »

« Oh... la mamie... ! »

Elisabeth s'est presque mise à rire à l'évocation de sa vieille voisine de lit. Une multitude de petits éclats irisés ont jailli du corps de son âme puis se sont soudainement évanouis dans l'éther, telles de minuscules bulles de savon.

« Oui, c'est vrai... nous l'avons vu. Elle t'a un peu fatiguée avec son discours... mais n'a-t-elle pas aussi, à sa façon, précipité ton envol vers nous ? N'a-t-elle pas cherché à te faire exprimer oralement quelque chose que tu n'évoques qu'avec difficulté et que tu préfères plus volontiers contourner ?

...Et maintenant, que dirais-tu de songer à retourner vers ton corps ? Il a encore besoin de toi... »

« Besoin de moi ? »

« Mais pourquoi pas ? N'avons-nous pas convenu ensemble que tu avais besoin de te réconcilier avec lui ? Il est temps que tu mettes tout en œuvre pour le considérer différemment. »

Elisabeth a simplement acquiescé par un sourire un peu triste. Alors, en une fraction de seconde nous avons vu le corps de son âme longer, semblable à un souffle, les murs de l'hôpital, hésiter un instant devant un frangipanier puis pénétrer doucement la baie vitrée qui mène à sa chambre.

Nous voilà maintenant tous trois à deux pas de son lit, communiquant sans cesse du regard et heureux comme des enfants qui reviennent en secret d'une escapade.

Cependant, confortablement adossée à deux oreillers, sa vieille voisine, « la mamie », feuillette négligemment une revue. De temps à autre nous la voyons jeter un rapide coup d'œil vers le lit d'Elisabeth où une silhouette un peu recroquevillée disparaît presque totalement sous les draps.

« Faut-il vraiment que ce soit moi, ce corps... ? »

Notre amie ne nous a pas adressé la parole mais le flot de ses pensées est soudainement venu rejoindre le nôtre.

« Comment ai-je fait ? Je suis si maigre... »

Elisabeth tente de caresser l'extrémité métallique de son lit, mais sa main ne rencontre qu'un pétillement d'atomes qui la fait se raidir.

Nous tenant à l'écart, certains de ne pas avoir à intervenir, nous ne pouvons que l'observer face à elle-même.

Il semble désormais que ses yeux ne puissent plus se détacher des formes que son corps imprime aux draps. C'est son être tout entier qui paraît alors hypnotisé... On pourrait croire à une sorte de sommeil de l'âme... mais soudain, nous la voyons à nouveau s'animer et son cœur se met à parler.

« Qu'est-ce que c'est ? Il y a tout un bourdonnement au-dessus de mon corps. Non... c'est surtout près de mon cou, de mon bras, de mon ventre aussi... une couleur brune... Est-ce que c'est cela qui me fait si mal ? C'est étrange... j'ai la sensation de regarder un vieil écran de télévision bourré de parasites... Mais pourquoi à ces endroits ? Il faut bien croire que je le méritais... C'est comme la matière de mon corps qui se détricote... et je m'en moque ! »

« C'est un peu cela, Elisabeth. Nous devons être honnêtes avec toi. Ce que tu vois, c'est le rayonnement émis par la contrepartie subtile de tes organes malades... et ainsi que tu l'exprimes, ils se « détricotent », ou plutôt, disons que tu as entrepris de les « détricoter ». C'est un fait qui paraît sans doute irréversible dans l'actuel état des connaissances humaines mais, ce que tu ne dois pas, c'est continuer à t'en moquer. Que tu l'acceptes et t'en détaches, oui, que tu t'en moques, certainement pas. La maladie est dans l'immense majorité des cas une injure que l'on se fait à soi-même. Alors, de quoi veux-tu donc punir ce corps ? Qu'est-ce qui ne t'a pas plu en lui et qu'a-t-il donc représenté pour toi, pour être si peu digne de respect et d'amour ? »

D'un bloc, la silhouette longiligne d'Elisabeth se tourne vers nous.

« Rien, lance-t-elle, absolument rien ! Aucun vrai problème... je ne sais pas. »

Son regard est de braise mais ne parvient pas à nous fixer. Il nous dit que nous avons approché la blessure, une blessure qui n'est pas encore prête à se reconnaître, à se cicatriser. Sans doute est-il trop tôt...

« C'est toi qui tiens le gouvernail, Elisabeth. Nous ne sommes rien d'autre qu'une vigie pour te signaler l'approche de quelque terre, de quelque îlot. A ce titre, acceptes-tu de tenter aujourd'hui une ultime expérience avec nous ? »

Au tréfonds de son être, un tout petit « oui » résonne.

« Oui, reprend enfin Elisabeth d'un ton beaucoup plus ferme. Je ne sais pas où cela va me mener, mais oui, je suis d'accord. »

« Alors, glisse-toi sur le côté de ce lit... et essaie de bien regarder ce corps à moitié recroquevillé sous les draps. Surtout, d'abord, n'en détache pas ton regard. »

« Cela fait mal... pourquoi voulez-vous cela de moi ? »

« Pour qu'un certain manège cesse. Ce qui te fait mal, ce n'est pas tant de te regarder que d'avoir peur de te regarder, peur d'affronter le reflet de ce que tu n'as pas su comprendre.

Et cela continuera, Elisabeth... cela continuera tant que tu nourriras la sensation qu'il te faut affronter ton corps. Regarde-le différemment et n'aie pas peur d'étendre ta main de lumière au-dessus de lui. Il est meurtri, certes... Il n'est sans doute pas ainsi que tu l'aurais voulu. Il est, bien sûr, aussi le témoin de certaines erreurs... Mais, dis-nous, qu'est-ce qu'une erreur ? Simplement une anecdote, un épisode, la marque d'une des cent mille tentatives de la Vie qui apprend à se reconnaître en nous. Un appel à l'aide que souvent on n'a pas réussi à traduire, un bégaiement de notre âme qui n'est pas encore parvenue à maîtriser son attelage. Tu nous diras sans doute qu'il y a « erreur » et « erreur ». Cela est juste... mais après ? Toutes ne traduisent-elles pas un mal d'aimer, un besoin d'aimer, un impérieux appel à l'Amour ?

Même si ton corps te semble une plaie, pourquoi lui en voudrais-tu d'avoir su crier cela, lui, le témoin et l'instrument de ton aspiration la plus profonde ? »

Tandis que le chapelet de ces paroles s'égrène hors de notre être, Elisabeth a entrepris de laisser flotter délicatement une main à quelques centimètres au-dessus de son corps allongé. Lentement, son mouvement en épouse maintenant les contours, puis hésite et reprend.

Sous les yeux de notre conscience, c'est un merveilleux mariage de lumière qui s'accomplit ainsi. Une timide mais si belle tentative de fusion entre un corps épuisé et son âme qui apprend à le reconnaître comme un don sacré... Tentative d'apprivoisement, tentative aussi de reconnaissance d'une noblesse oubliée.

Un profond sanglot a soudainement jailli de l'âme de notre amie, un sanglot qui n'est pas une plainte mais comme le simple soupir d'un être qui se regarde poser un fardeau.

Et tandis qu'Elisabeth frôle d'une main les contours délicats du visage de cet autre elle-même qui dort, un tout petit mot, si fragile mais si puissant, perle de son cœur...

« Merci... »

Chapitre III

« Ne plus fermer les volets... »

« Oui, j'ai préféré revenir ici. Je pensais qu'ils ne voudraient pas, mais finalement je crois qu'ils étaient trop heureux que je leur libère un lit. Ils n'aiment pas quand on meurt chez eux... »

C'est Elisabeth qui prononce ces mots à la lueur dansante d'une énorme bougie de plein air. Les jambes sous une fine couverture de laine, elle est à demi-étendue sur une chaise-longue placée près d'une table encore garnie, dans un coin de son jardin. D'une voix douce, légèrement cassée, elle s'adresse à une femme plus jeune qu'elle qui, assise sur un tabouret de rotin blanc, lui tient une main. Une amie, sans doute, à en juger par l'intimité qui semble s'être tissée autour des deux êtres.

Ici, il fait nuit noire et les moustiques font entendre leur musique lancinante tandis qu'à quelques pas, dans les arbustes et les fleurs, des grenouilles se répondent à tue-tête.

Il n'y a guère plus d'une minute que nous avons découvert ce décor, cette ambiance. Après plusieurs jours d'absence, nos consciences ont senti qu'il fallait qu'elles se laissent à nouveau attirer, guider jusqu'au chevet d'Elisabeth.

Une tasse à la main, notre amie paraît, ce soir, vouloir s'abandonner à quelque confidence. Nous voyons que derrière le creux de ses joues, une vague de détente cherche à s'installer sur son visage. Ce soir, d'ailleurs, ses yeux n'émettent plus ce reflet trop dur qui fut si souvent le leur pendant des semaines.

Elisabeth est simplement lasse, lasse mais avec quelque chose dans le cœur qui s'est ouvert.

La jeune femme qui lui tient compagnie n'a rien répondu à ses paroles. Pendant un instant nous avons bien senti qu'elle voulait réagir et lui dire quelque chose comme « pourquoi parler de mourir ? », mais elle s'est retenue, sachant bien que rien ne sert de jouer ici la comédie du mensonge.

Elle a compris que le départ d'une âme confère toujours à celle-ci une lucidité contre laquelle nul ne peut rien. Une lucidité qui appelle le respect... et aussi une autre lucidité en retour.

A trop nier les évidences, on ne fait souvent qu'asphyxier un peu plus l'âme qui souffre.

« Thérèse... que dis-tu de tout cela ? Dis-le moi franchement. »

Elisabeth a posé sa tasse sur l'herbe puis serré fortement la main de son amie. Thérèse, dont nous apercevons un peu mieux l'arrondi du visage, secoue la tête de façon désordonnée comme si elle cherchait à se débarrasser de quelque pensée, puis bloque un instant sa respiration avant de répondre.

« Si c'est la franchise que tu veux... je dis que tu as agi comme il le fallait. D'abord parce que ton cœur avait envie de cela et qu'il faut toujours lui laisser la priorité..., ensuite parce que si tu as vraiment décidé de partir, tu ne peux pas être mieux que dans un décor comme celui-ci... où il y a de la vie, de la chaleur. »

« Où il y a de la vie, tu as raison. C'est ce que je n'arrive pas à dire, à faire comprendre à Sonia. Cela paraît peut-être stupide mais je me suis sentie beaucoup plus légère quand je me suis avoué, l'autre jour, que j'aimais que « cela bouge » autour de moi. Jusque là, je voulais tirer les volets sur tout, pour me punir sans doute d'être comme cela et pour qu'on ne me voie pas. C'est après le passage de l'infirmière qu'il y a eu une sorte de déclic et que j'ai compris soudain que je me mentais. En partant, elle m'avait seulement dit, « profitez bien de la matinée, il fait beau ». Mais, cela venait d'elle, il n'y avait rien de mécanique, et en disant cela c'était comme si elle m'ôtait un poids du cœur... cela m'a fait découvrir... la densité de l'instant présent... et je me suis souvenue que j'aimais le soleil.

On l'oublie trop facilement, tu ne crois pas ? »

Thérèse demeure comme interloquée. Dans son tailleur rose un peu trop ajusté, elle vient de se laisser glisser sur l'herbe pour s'installer aux pieds de son amie.

« Tu ne parles pas de cela avec Sonia ? »

« J'ai essayé de le lui dire mais elle ne parvient pas à comprendre. On dirait qu'elle veut que rien ne bouge plus ici. Plus de musique, plus de petits plats qui sentent bon... juste une visite de temps en temps. Je sais qu'elle pense faire pour le mieux mais le véritable repos... tout au moins quand on commence à sentir la vie s'enfuir de soi, le véritable repos ne naît pas forcément de ce genre de silence et de solitude.

Je ne sais pas... en ce moment même, je me dis que c'est un peu comme si elle invitait déjà l'hiver alors que j'ai besoin de vivre l'automne. Même si c'est illusoire, je sais depuis quelques jours que j'ai besoin que « ça » vive. La vie devient pour moi un spectacle que j'essaie enfin de comprendre... et je trouve des points de repère qui sont devenus de véritables ballons d'oxygène. Une tasse de thé dont j'entends les préparatifs, le plaisir de retrouver tel objet suspendu au mur à tel endroit. Cela me rassure ; l'hôpital était si vide ! Toujours la même petite aquarelle fadasse épinglée près de la télé...

Ici, je retrouve quelque chose qui ressemble à mon odeur. Je crois bien que les odeurs me font voyager. Tiens... le parfum de ces grosses bougies que Sonia a plantées dans le gazon, le crépitement de leurs flammes. Il y a là quelque chose non seulement qui sent bon mais... qui a du goût ! C'est à tout cela que j'ai besoin de m'accrocher. Des repères simples. Je sais bien que la vie continuera dans cette maison quand je n'y serai plus, alors, si quand j'y demeure encore on veut à tout prix l'y ralentir et la rendre morne... »

« J'essaierai d'en parler à Sonia. »

« Si elle t'écoute... Tu sais, j'ai compris à quel point sa réaction aurait été la mienne face à ... une mourante. »

« Elisabeth... »

« Oh, non, je ne dis pas cela pour que tu me plaignes. Vois-tu, je n'ai plus peur... enfin, j'ai moins peur des mots maintenant et il faut voir les choses telles qu'elles se présentent. »

Un gros insecte à la carapace cuivrée est venu s'abattre avec bruit sur le chemisier d'Elisabeth. Elle a sursauté mais la voilà maintenant qui se met presque à rire en observant son visiteur qui joue sur elle le rôle d'une broche.

« Vois-tu ce que je veux dire ? Ce sont des choses comme ça qui maintiennent aussi encore un peu mon équilibre. Une graine d'imprévu au milieu de tout ce que je connais. »

Le petit visage rond et brun de Thérèse s'est lentement dégagé des épaules dans lesquelles il avait tendance à se protéger et un sourire d'étonnement vient y fleurir.

« Je ne t'imaginais pas comme cela, Elisabeth... »

« Moi non plus. Il y a tant de "choses" que je commence à voir avec une telle clarté ! En fait, je les connaissais, mais je refusais de les regarder et d'admettre ce qu'elles voulaient dire. »

« Par exemple ? »

« Toutes les conventions. Je n'ai que des amis qui viennent me voir avec des mines de carême. Je sais bien qu'ils n'inventent pas leur peine de me voir ainsi, mais la plupart portent sur moi un regard tellement lourd qu'ils me dévitalisent davantage encore. Je ne les en blâme pas, Thérèse, j'ai agi comme eux des quantités de fois... parce que devant la mort ou la maladie grave on nous a toujours dit qu'il fallait brandir un masque. Mais si on admettait tous, une bonne fois pour toutes, que c'est cela qui les rend plus terribles encore, plus impénétrables, plus insupportables !

Me comprends-tu ? Quand je serai partie de l'autre côté, je ne veux vraiment pas qu'on s'oblige aux cravates noires et à je ne sais quoi de ce genre. Ce sont des réflexes de ce style qui enracinent le désespoir partout... et Sonia s'en nourrira sans s'en rendre compte et le petit aussi. »

Elisabeth s'est arrêtée de parler, et tandis qu'elle tente de se redresser sur sa chaise longue, une grimace de douleur vient se figer sur son visage. Thérèse se redresse aussitôt d'un bond et se tient à genoux sur l'herbe.

« Veux-tu que je t'aide à rentrer ? Il se fait tard. »

« Non, attendons encore un peu. Cela ne changera rien. Et puis, j'aime entendre le chant des grenouilles. Pas toi ? Sonia s'est empressée de nous laisser pour que nous soyons tranquilles toutes deux. J'ai des tas de choses à te dire, moi. Ne me dis pas comme tout le monde que "ça va me fatiguer". C'est tout garder pour moi qui me fatigue, c'est tout garder pour soi qui fatigue le monde. Je l'ai trop fait ; alors maintenant je ne peux plus, vois-tu. »

« En t'écoutant parler depuis tout à l'heure, j'ai la sensation que tu y vois beaucoup plus clair que moi. »

« Oh, pas depuis longtemps ! Je me suis réveillée un jour avec le sentiment qu'il fallait... comment te dire... que je signe un traité de paix avec moi. J'ai compris autrement que dans ma tête, que j'allais bientôt tirer le rideau et que je devais arrêter de m'empoisonner avec de vraies crampes mentales. »

« Qu'est-ce que c'est que ça ? »

« Tu as bien vu le visage que j'ai maintenant, mes bras, mes jambes ? Cela faisait des années que je ne pouvais plus supporter mon corps sans le reconnaître. Alors, je l'ai laissé se détruire parce que quelque chose en moi s'imaginait que cela arrangerait tout. Je n'étais pas contente de ma vie... alors, je l'ai bloquée dans ma tête et dans mon cœur. Aujourd'hui, je commence seulement à comprendre que l'on se fabrique une maladie aussi sûrement que l'on peut s'ingénier à faire tomber en panne un moteur... en mettant n'importe quelle substance dans son carburateur par exemple.

Cette substance, en quelque sorte, c'est le manque d'estime que j'avais de moi-même et toute l'agressivité que cela générait. Nous sommes tous un peu scorpions, tu ne crois pas ? Nous pensons trop facilement que la vie nous contraint à piquer... quitte à se piquer soi-même ! Ce soir, ce n'est pas que je sois plus contente de moi, mais je veux bien me regarder et je ne m'en veux plus. Et puis il y a tant d'autres choses encore... Il y a des lumières, des visages... je ne les repousse plus. »

« Comment cela ? Que veux-tu dire exactement ? »

« Essaie de comprendre... Par instants c'est comme si je vivais entre deux mondes. Il y a toutes les formes de ma chambre ou du jardin et puis, d'autres qui viennent se superposer à elles. Des silhouettes précises qui ressemblent à des présences blanches ou argentées. Elles viennent s'asseoir à côté de moi, parfois près du lit. Depuis que je les accepte, je les vois plus clairement encore et j'ai la sensation très nette qu'elles me procurent une énergie, un réconfort dont tu n'as pas idée.

Avant de nous quitter, mon père m'avait parlé de choses analogues. Je ne lui avais rien répondu mais au fond de moi-même je le plaignais parce que j'étais certaine qu'il délirait. Je me souviens surtout qu'il ne comprenait pas tout cela et qu'il aurait sans doute aimé que quelqu'un lui en parle tranquillement avec les mots qui étaient les siens. Quant à moi, j'en aurais été incapable. Je croyais fondamentalement à ces choses mais, d'une certaine façon, je n'imaginais pas que je puisse y être confrontée ailleurs que dans les livres. »

« Et ces formes, elles ont un visage ? »

« L'une d'elles en a laissé apparaître un ...plusieurs fois de suite. C'était celui de mon frère. »

« Tu as un frère, Elisabeth ? »

« J'en ai eu un, autrefois. Il est parti lorsqu'il avait une quinzaine d'années. Accidentellement, en traversant une rue. Mais, ce n'est pas tellement le fait que je reconnaisse son visage qui compte pour moi. C'est surtout une ambiance. Quelque chose d'indescriptible qui se dégage de toutes ces formes. Un tel amour ! Comment te dire ? C'est quelquefois très rapide mais, peu importe. Je ne supposais pas qu'un amour aussi léger, aussi total était possible ! »

« Tu n'as jamais eu peur ? »

« Cela m'a inquiété, au début, jusqu'à ce que j'accepte. Mais maintenant, je ne fais qu'espérer ces instants. Et puis il y a d'autres présences encore ; à chaque fois que je me réveille, je garde des visages en mémoire. Ils émergent progressivement, au fil des jours... et avec eux de longues conversations. Comme si on déversait quelque chose de doux en moi.

Un peu comme un enseignement mais qui serait plutôt une sorte de rappel. La mise en évidence de vieilles certitudes, de choses que j'avais balayées – que nous balayons tous – presque d'un revers de la main, trop facilement. Cela me parle de moi, de la vie, de mon avenir. De mon avenir... tu dois trouver cela stupide, non ? »

Thérèse a baissé les yeux, ne sachant manifestement que répondre. Nous comprenons qu'elle cherche désespérément quelque chose au fond d'elle-même, une phrase, un mot, n'importe quoi qui ne vient pas et qui lui serre la gorge.

« Toi aussi, tu as peur, Thérèse ? » réagit aussitôt Elisabeth d'une voix un peu pâle.

« Tu comprends, nous n'avons pas l'habitude de parler ouvertement de ces choses. Nous sommes dans un monde qui veut bien tout aborder et tout nous apprendre, l'argent, le sexe, la politique ou la composition du sol de Mars... mais "ça", "ça", on nous le fait toujours contourner. Et puis, je ne suis ni philosophe, ni prêtre, Elisabeth, alors, je ne sais pas. »

88

« Mais je ne voudrais surtout pas que tu le sois ! Depuis que je souffre comme cela, Thérèse, je ne cherche ni des théories ni des dogmes. L'autre jour, alors que j'en avais assez de vivre, je me disais que la plupart de ceux qui nous entretiennent de religion ou de philosophie n'ont jamais vraiment pris les choses à leur base. Tout le mystère de la vie se cache au cœur même de la mort. Que m'importent les belles phrases de je ne sais quel penseur ou les préceptes de tel ou tel catéchisme, si on ne commence pas par dénouer ce nœud-là ! Si dès le départ j'avais su mourir, j'aurais su vivre, Thérèse. Nous sommes victimes de l'ignorance et des peurs de ceux qui sont censés nous instruire. Je ne veux pas des beaux principes de ceux qui se disent spirituels s'ils ne savent pas répondre à la première urgence de mon âme qui s'interroge :

Vers Quoi est-ce que je vais ? Vers Qui allons-nous ? Tout le reste ne devient presque que verbiage si la réponse est floue ou ne s'adresse qu'à un tiroir de notre mental !

Il ne suffit pas que l'on nous dise "tu auras la vie éternelle" ou encore "tout cela n'existe pas, point final". Il nous faut un mode d'emploi de ce que nous sommes. Je ne m'en aperçois que maintenant mais peut-être est-ce mieux que pas du tout.

Ce que je veux de toi, Thérèse, et de tous ceux qui viennent ici, c'est seulement une oreille et un cœur qui ne connaissent pas de tabou, qui n'aient rien à me prouver... et surtout ne me jugent pas. Si j'ai tout cela, je sens bien que ce que je vois dans la lumière sera plus présent, sans cesse plus présent parce que la paix dont je serai capable attirera la leur. Ce n'est pas de la philosophie cela, vois-tu. C'est très pratique et c'est ce que je vis. »

Elisabeth est presque à court de souffle en laissant ces phrases s'éteindre sur ses lèvres. Elle tente un sourire puis cherche la main de Thérèse qui caresse l'herbe du sol.

Dans le fond du jardin, cependant, au pied d'un bouquet de bambous dont les tiges s'élancent dans l'obscurité, le concert des grenouilles continue de plus belle. Aux yeux de notre âme, une sphère de lumière discrètement bleutée s'est peu à peu tissée autour des silhouettes des deux amies. Nous l'avons vue naître de leur centre, comme d'un merveilleux point d'intimité, et dans le silence intérieur qui les unit maintenant, il semble qu'elle scintille avec plus de force encore.

Soudain, un bruit de pas vient à résonner sur le plancher de bois du patio.

« Un peu plus de tisane ? »

C'est Sonia qui vient d'apparaître et se tient déjà derrière le fauteuil de sa mère.

Deux ou trois mots sont alors échangés, anodins, puis Elisabeth avoue son épuisement.

Du monde où nous l'observons et apprenons à la découvrir, à l'aimer un peu plus, Elisabeth ressemble désormais à une petite chose toute frêle.

Sonia et Thérèse l'ont aidée à quitter son fauteuil puis entreprennent maintenant de l'accompagner, presque de la porter jusqu'à sa chambre.

Tandis que les trois femmes franchissent le seuil de la maison et que nous nous laissons un instant captiver par les lueurs dansantes des flambeaux, il nous semble que quelque chose se passe en nous et que notre conscience s'expanse un peu plus. Un petit point de lumière y naît, y grandit, plus puissant et d'une nature autre que celui qui a précédé la seconde où nous avons quitté notre corps de

90

chair. Il est d'abord comme un coin de nous-même qui cherche à s'exprimer plus clairement, et puis, voilà que son centre se transmue soudain en une présence, enfin en une voix qui coule, semblable à un léger ruisseau.

« Souvenez-vous en... Elisabeth, ainsi que tous ceux qui vont bientôt quitter leur vêtement de chair, ne veut ni philosophie, ni dogme. La seule chose dont son cœur a soif, c'est d'amour... d'amour sans "peut-être", ni "demain", ni "oui mais". L'amour dans l'instant présent, voilà le seul trésor qui, en vérité, puisse jamais compter désormais pour elle. Cet amour-là est la seule expression vraie, pure et indélébile de la spiritualité.

La spiritualité ! Quelle force, quel secret, se cachent donc derrière ce mot ? Il y a autant de croyances que de religions, autant de fois différentes que de moines ou de dévots... mais la seule spiritualité qui soit un parfum pour l'âme et le corps est si peu parente avec tout cela !

Elle est l'expansion de tout l'être qui s'offre en cadeau et se met au service du divin qui vit en lui. Elle est l'art de savoir regarder l'autre là où son âme est la plus belle. Elle est cette qualité de savoir-faire qui aide l'autre à comprendre sa vie, à la faire germer puis à la quitter lorsque l'heure est venue. Le reste, les noms, les règles et leurs cortèges de grands principes ne sont plus dès lors que fioritures et portes d'accès au dédale du mental.

Les jours qui précèdent ce que vous appelez "la mort", les instants mêmes qui la voient venir, doivent retrouver cette qualité sacrée qu'ils n'auraient jamais dû perdre. Sacrée pour celui qui part, sacrée pour celui qui accompagne. Un souffle d'amour qui ne s'incarne pas n'est que demi-mesure et par le mystère de la mort, voyez-vous, une âme peut s'incarner un peu plus, c'est-à-dire accoucher d'elle-même... en-dedans et au-delà du fleuve.

Tout être qui en guide un autre sur ce chemin devient ainsi son accoucheur et ce ne sont pas d'abord, pas seulement, des mots que l'on attend d'un accoucheur, mais une chaleur qui est comme un fil d'ariane et un savoir-donner qui ouvre toutes grandes les portes de la confiance. Etre une main qui se pose là où elle doit se poser et une oreille plus qu'une langue. Voilà le secret s'il en est un. Il n'y a rien à prouver, rien à inculquer, juste à éclairer, s'il en est besoin, pour aider à la déchirure des multiples voiles qui séparent l'être de lui-même.

Le passeur d'âme, souvenez-vous en, n'est jamais vêtu que de soleil, voilà tout ce qu'il faut savoir... »

La voix s'est soudainement estompée en nous et nous voilà au milieu de la pelouse, contemplant Sonia qui éteint l'un après l'autre les grands flambeaux de cire. Sonia... nous avons presque envie de l'appeler... et de lui expliquer...

Dans la chambre d'Elisabeth, la lumière a désormais disparu depuis plus d'un quart d'heure. C'est l'heure où le ressac des vagues sur la plage se fait entendre doucement, participant à sa façon à tisser un voile de sommeil sur la maisonnée. Haut dans le ciel, la lune qui éclaire le massif de bougainvilliers nous fait songer à un œil qui lit dans les âmes et suggère l'interrogation.

Faut-il poursuivre le voyage au risque de s'immiscer dans l'intimité d'un cœur... ou rejoindre nos enveloppes de chair, étendues dans la pénombre d'une pièce, quelque part loin d'ici ?

Mais nos deux êtres ne décident pas... un tourbillon s'est emparé d'eux, tel un éclair suivi d'un si profond et si aimant silence...

Quelques fleurs, une tapisserie, un fauteuil à larges bras... tout un décor a jailli de la lumière, et c'est comme si nous l'embrassions de toute notre conscience.

« Est-ce bien vous ? »

Semblable à un murmure, la voix d'Elisabeth s'est insinuée en notre être avec une intensité pourtant surprenante. Assis sur le bord de son lit, nimbé d'une clarté bleue, le corps de l'âme d'Elisabeth paraît sortir d'un long rêve.

« Je vous ai tellement appelés tout à l'heure, avant de m'endormir. Mon cœur est triste... »

« Triste, Elisabeth ? Est-ce toujours la même angoisse qui t'étreint ? Tu semblais pourtant... »

« Je semblais... Mon âme dans mon corps s'est affermie. Elle s'est reconnue et a su à nouveau faire naître le sourire. Mais il y a je ne sais quelles larmes que je ne peux retenir. »

« Ou plutôt que tu n'arrives pas à faire jaillir. C'est certainement bien davantage cela, n'est-ce pas ? »

Le corps lumineux de notre amie a quitté le rebord du lit, jeté un rapide coup d'œil sur la forme qui y dort puis s'est rapproché de nous. L'habit qui le recouvre est tout autre qu'aux premiers jours de notre rencontre. Plus fluide, plus flou dans ses contours, il témoigne d'une conscience dont la force mentale s'est émoussée et s'abandonne un peu plus au seul fait d'être.

« Oui... sans doute avez-vous raison, nous répond enfin Elisabeth en fuyant quelque peu notre regard. Vous avez certainement raison... Il y a plutôt comme un barrage dont je ne veux pas ouvrir les vannes. Dans ma tête, ces derniers mois, j'ai parcouru cent fois le chemin de ma vie pour laisser s'écouler cette angoisse, pour pouvoir lui donner un nom, mais sa source est si fuyante. Peut-être n'existe-t-elle pas... Peut-être est-ce simplement un mal de vivre. »

« Garde-toi des expressions qui ne sont pas autre chose que de vieux oripeaux, Elisabeth. De vieux oripeaux dont on abuse parce qu'ils sont pratiques pour voiler ce qu'on ne veut pas voir. Un mal de vivre a toujours un nom. Celui d'une situation ou d'un visage peut-être. Tu avouais t'être retrouvée, avoir conclu la paix avec toi, et cette petite lueur qui animait ton regard ce soir nous a dit combien cela était vrai. Mais pour que ce que l'on croit être la paix ne soit pas simplement une trêve, il faut aussi aller plus loin, vois-tu. Il faut que ce "mouvement de l'être" qui nous ramène vers nous-même se prolonge ensuite, en allant vers autrui et vers le monde.

Si nous ne nous expansons pas, si nous contenons le rayonnement de notre cœur, ce qui s'appelait "retrouvailles avec nous-même" porte bien vite le nom d'égoïsme. Il y a, vois-tu, des égoïsmes très sournois, presque impalpables, fruits de peurs inavouées et qui peuvent fort bien nous étouffer à notre insu. On peut s'asphyxier derrière un rempart de protection. Alors, pose-toi cette question : de qui, de quoi te protèges-tu ? »

Elisabeth reste muette à nos paroles. Elle pince légèrement les lèvres comme pour contenir un mouvement de révolte puis laisse glisser son corps jusqu'à une commode de style colonial. Elle demeure là un long moment, ne quittant pas des yeux une série de photos suspendues au mur dans des cadres de bois blanc.

On n'y voit que Sonia : Sonia bébé, puis enfant ; Sonia adolescente.

« Vers qui ne veux-tu pas aller, Elisabeth ? A qui ne peux-tu pas pardonner ? »

Au travers des flots de brumes lumineuses qui s'échappent de son corps, notre amie nous a déjà donné la réponse. L'âme sera toujours un livre ouvert... Ce que nous voulons d'elle pourtant, c'est un aveu clairement formulé, juste une petite phrase qui entamera la chaîne de ce boulet dont elle veut continuer à ignorer l'existence.

Il nous faut alors tendre une main.

« C'est bien du père de Sonia dont il s'agit, n'est-ce pas ? »

Elisabeth a bondi. En une fraction de seconde, nous avons vu sa conscience se tendre à l'extrême et se tourner vers nous comme pour hurler quelque chose. L'éclat de ses yeux ne traduit plus que la panique, et deux ou trois mots, cinglant à la façon d'un fouet, nous accrochent au passage.

« Non ! Inutile. C'est du passé tout ça. De la vieille histoire. Laissez tomber... »

La lumière est sans doute trop vive. Elisabeth fuit. Les lueurs de son être subtil ne ressemblent plus qu'à un feu désordonné. Un instant nous craignons que notre amie ne regagne son habit de chair et ferme ainsi la porte.

« Elisabeth, Elisabeth... murmurons-nous au plus profond de nous-même. Nous ressentons ta douleur, mais pourquoi t'arrêter en chemin ? Si tel est ton choix nous le respectons, mais pendant combien de temps entretiendras-tu encore une plaie ? »

« Oh... Le temps... là où je vais... Pourquoi ne pas me laisser ? »

« Le temps est une dimension de l'âme... de ton âme unie à l'âme du monde. Seule, la paix totale, parfaite, sans nom, parvient à jeter un pont au-dessus de lui. Le temps te suivra parce qu'il a la couleur de tes émotions. On ne se débarrasse pas de ses souvenirs en s'imaginant qu'il agit aussi naturellement qu'une gomme. Le temps enfouit, c'est tout. Il ne referme pas une plaie, vois-tu, il sait seulement la dissimuler... et nos corps la retraduisent à leur façon. Alors, un jour, nous nous mettons à saigner dans les conceptions qui sont nôtres, dans les émotions que nous ne maîtrisons plus et enfin dans notre chair qui s'est épuisée à éliminer les déchets de notre âme. Il faut accepter de regarder une plaie si on veut la panser afin qu'elle cicatrise, ne crois-tu pas ? »

« Il n'aurait jamais dû faire cela... Il n'aurait jamais dû me quitter comme ça, fait alors Elisabeth en nous cherchant finalement du regard. Il n'avait pas le droit... C'est Jean-Paul, la cause de tout cela... Depuis qu'il est parti avec cette femme... comment voulez-vous que j'aime le monde ? Il n'y a que fausseté et mensonge. C'est le dégoût complet ! Et vous espérez que je puisse encore aimer les gens ? »

L'âme d'Elisabeth a éclaté en sanglots, de longs sanglots qu'à quelques pas de là, dans le lit, son corps recroquevillé a reproduits à sa façon, par de petites plaintes. Aussitôt, comme pour cacher sa douleur et sa rancœur, notre amie s'est jetée dans nos bras et, pendant un long moment, nous sentons à peine la matière de son corps.

Le temps s'écoule alors doucement, et chaque seconde qui s'enfuit semble nous faire don de toute la richesse de son silence. Sous les draps, la frêle silhouette d'Elisabeth est encore animée de quelques soubresauts puis notre amie ose enfin plonger ses yeux dans les nôtres.

« Pouvez-vous me dire pourquoi tout cela ? Une histoire si bête, si ordinaire. Un schéma de vaudeville, son cent millionième exemplaire... Je devrais rire de ma banalité ! »

« Nous devrions tous rire de nos banalités, Elisabeth ! Nous en absorberions un peu moins le poison. C'est une des leçons que nous devons tous apprendre et que notre orgueil blessé nous empêche si souvent de mémoriser.

Il faut maintenant que tu nous laisses te dire... Un acte est toujours ce qu'il est et nul ne peut se permettre de le juger. On peut le réprouver, bien sûr, mais certes pas le juger. Le jugement induit autre chose. Il supposerait une connaissance profonde des mille causes, des mille finalités du chemin de vie de chacun et de la destination précise de tous. Qui peut se flatter d'une telle vision ?

L'équilibre que nous cherchons tous, vois-tu, ne s'obtiendra jamais à coups d'arguments, quelle que soit la nature de ce qui nous tenaille. Et la paix que nous recherchons ne sera pas le fruit d'une opposition entre ce qui nous semble blanc et ce qui nous paraît noir. Ainsi, les obstacles que nous rencontrons, Elisabeth, n'ont pas d'autre raison d'être que de nous forcer à prendre de l'altitude. En vérité, contrairement à ce que chacun s'imagine, ce ne sont pas eux qui modèlent et conditionnent notre vie, mais les attitudes que nous tenons face à eux. Les êtres et les circonstances par lesquels une souffrance prend naissance sont rarement les créateurs directs du poison intérieur qui nous ronge et nous tue.

Ils n'en sont bien souvent que les révélateurs.

Cela te semble étrange, inadmissible, révoltant peut-être... Pourtant nous te demandons de méditer tout cela.

Les forces dans lesquelles nous voyons des ennemis sont en fait les simples agents que la Vie nous envoie pour pétrir un peu plus notre âme et l'aider dans son affinement.

Comprends-nous bien, surtout... Cette vision des choses ne justifie en rien ce qui engendre la souffrance, elle permet simplement de mieux en comprendre le fonctionnement. Ce qui prend la forme d'une tempête pour l'un peut n'être qu'un léger grain pour l'autre... en fonction sans doute de son habitude à prendre la mer et aussi, bien sûr, de la conception de son embarcation. Dès lors, pour éviter les récifs, Elisabeth, pour prendre de l'altitude, il n'existe qu'une chose sous le soleil, une seule énergie, celle du pardon. »

Tel un enfant qui se débat, Elisabeth s'est dégagée de notre étreinte et esquisse maintenant un « non » de la tête.

« Pardonner l'injustice ? fait-elle ; même si vous avez raison... je ne le peux pas. »

« Tu ne le peux pas ou tu ne le veux pas ? »

« C'est viscéral, comprenez-le ! »

« Ce sont donc tes viscères qui ont pris les rênes de ton être ? Non, Elisabeth, nous refusons de le croire. C'est ta force mentale qui leur adresse des ordres. Nous la voyons si tendue qu'elle ne peut ordonner que crispations et refus. C'est bien toi qui ne veux pas... Ta fierté. Nous savons que tu as toutes les raisons du monde pour réagir ainsi... et aussi que le monde te donne raison. Mais est-ce ce type d'argument que ton âme réclame ? Comme tous ceux qui souffrent, tu aspires à quelque chose de plus léger mais tu prétends ne pas te débarrasser d'une rancœur pesante. Veut-elle dire encore quelque chose, cette logique par laquelle tu te tortures ? Y as-tu pris goût ? »

Elisabeth ne nous a jamais regardés avec une telle intensité. Nous nous attendons à la voir réagir avec violence mais au cœur de son âme, il y a au contraire comme un blanc total, une sorte d'anesthésie qui rend son être muet.

« Il n'y a qu'une chose qui puisse remplir le vide que nous sentons au creux de ta poitrine, et une seule chose aussi qui soit capable de désamorcer tes arguments. Un peu de tendresse. Et, dis-nous, comment pourrais-tu en recevoir au point où tu en réclames... si tu n'acceptes pas toi-même d'en donner ? »

Notre amie s'est approchée du bord du lit puis a fait soudainement demi tour.

« Que voulez-vous que je fasse ? »

« Uniquement ce que tu sais devoir faire. Ce que tu aurais aimé faire depuis longtemps afin de pouvoir tourner la page. »

« Revoir Jean-Paul ? »

« Le revoir et lui pardonner. Quelques mots peuvent suffire… juste pour lui offrir ton besoin de paix. »

« C'est tout ? Il faut donc vraiment que je le libère ? »

« Elisabeth, en le libérant ainsi… c'est également toi que tu libères. C'est toi dont tu prends le bonheur en mains. »

« Le bonheur ? Vous croyez que j'y ai encore droit ? Je pensais pouvoir seulement espérer un peu de repos… tirer un trait sur tout et me reposer. »

« Tirer un trait n'est pas pardonner, mais simplement ne plus vouloir "songer". Le pardon, comprends-nous, c'est le dépassement de l'oubli. C'est s'extraire de l'éternel et lancinant rôle de la "victime". Qu'on le reçoive ou qu'on le donne, le pardon est un cadeau qui nous réconcilie avec la vie, une magnifique offrande qui fait que nous ne fonctionnons plus comme un disque rayé, juste capable de reproduire la même rengaine pendant des années.

Le bonheur, c'est la nouvelle direction que tu commences à te tracer, et aussi l'autre dimension de l'amour que tu t'apprêtes à explorer. Cet amour que le cœur de chacun est amené à générer, Elisabeth, est tellement plus grand que la dimension simplement affective dans laquelle on le cantonne si souvent ! Maintenant il faut que tu fasses résolument un pas dans sa direction. »

« Je ne sais pas… j'essaierai… »

La réponse d'Elisabeth est venue doucement se poser en nous, mêlée de crainte, d'hésitation, d'espoir.

Dans la chambre aux murs tapissés de fleurs, la lumière blafarde de la lune nous paraît maintenant donner une vie magique à chaque objet que notre regard découvre et qui fait encore partie de l'univers de notre âme.

Un bouquet de fleurs séchées, quelques livres, une cupule où scintillent des bagues et un petit téléviseur...

Les consciences de nos trois êtres réunis se taisent et observent. Elles observent comme si le bonheur simple qui se dégage du lieu avait, lui aussi, encore quelque chose à dire. Peut-être justement au cœur même de sa simplicité.

Tandis que nos regards s'unissent par le sourire, un léger crépitement se fait entendre. Il semble surgir du dedans de nous bien qu'étranger à notre nature... une sorte de souffle tiède, le parfum d'une présence.

Alors, sans que nous l'ayons vu émerger de la pénombre de la chambre, le corps lumineux de Sonia se trouve soudain à nos côtés. Habitée d'une clarté diaprée, la silhouette de la jeune femme nous paraît tout de suite magnifiquement sereine. Sa présence en ces lieux lui semble pourtant tout à fait inhabituelle. Sonia nous regarde, à la fois comme si elle nous connaissait depuis toujours mais aussi comme si elle commençait seulement à nous découvrir... puis son corps glisse vers celui d'Elisabeth.

Nous comprenons que cette nuit, dans le sommeil, sa conscience a voulu rejoindre celle de sa mère. L'élan naturel et spontané de son cœur veut offrir sa tendresse... et devant lui nous pensons aussitôt devoir nous estomper.

Demain au réveil, nous savons déjà que Sonia portera en elle le souvenir d'un « rêve », un rêve où elle et Elisabeth se seront retrouvées telles qu'en elles-mêmes. Un « rêve » puissant où elles seront allées toutes deux vers plus de vérité, vers cent petites choses à incarner quotidiennement et aussi peut-être... vers un présent où il n'y a plus ni mère, ni fille, mais une métamorphose commune à vivre.

Chapitre IV

Une salle d'attente si blanche...

« Quelque chose vient d'arriver à Elisabeth... » Ces mots ont resonné en nous avec la clarté d'un cristal et nous ont presque aussitôt fait sortir de notre corps.

Nous interrogeons le silence...

« Quelque chose ? Quoi donc ? Est-elle déjà partie ? »

Mais plus rien ne répond en nous. Seule se déploie maintenant dans notre cœur cette indicible ivresse de l'âme qui se souvient qu'elle peut voler. Alors, il nous faut simplement retrouver le chemin, suivre le fil d'Ariane qui nous unit désormais à Elisabeth.

Dans un tourbillon de lumière, nos corps de chair disparaissent loin derrière nos âmes, balayés par des visions de vagues qui déferlent sur une plage, soufflés par l'éclat de quelques bougainvilliers sur un ciel outremer. Puis, vient s'inscrire en nous le cadre d'une fenêtre blanche frappée par le soleil... et qui s'efface.

Au centre d'un voile qui se déchire, c'est désormais la chambre de notre amie qui s'ouvre à notre conscience, une chambre silencieuse mais habitée par une lumière qui semble vouloir murmurer.

Sur un lit, recouverte par un simple drap bordé de bleu, Elisabeth paraît dormir, tandis qu'à ses côtés tout un attirail médical porte en lui-même sa propre réponse : le coma. Nos yeux ne veulent pas se laisser capter par le tracé pesant des perfusions et des sondes. Ce n'est pas là, derrière lui, que se trouve Elisabeth. Il nous faut chercher sa lumière, sa véritable présence derrière le masque de la souffrance afin de la rejoindre paisiblement.

Cependant, tandis qu'avec notre cœur nous appelons notre amie, dans un coin de la pièce et adossée à la porte, la silhouette de Sonia se devine, les yeux embués de larmes.

« Réveille-toi à ton tour, aurions-nous envie de lui dire, tantôt la secouant, tantôt la serrant dans nos bras. Réveille-toi, prends de l'altitude. »

Mais comment faire comprendre à ceux qui restent, à ceux qui se sentent rivés, impuissants sur le quai d'une gare, que le cœur a des ailes ? Les mots, tels qu'on les aimerait, restent souvent inaudibles. Alors, nous ne pouvons que poser une main au creux de la poitrine de Sonia, une main pour lui murmurer tout ce que ses oreilles ne sont pas capables d'entendre et tout ce que ses yeux ne peuvent voir.

Sonia éclate aussitôt en sanglots et nous savons que c'est bien ainsi car dans la lumière qui se dégage de son être, des miasmes[1] aux lourdes teintes grisâtres se dissolvent peu à peu.

---

1 - L'émission de larmes a pour effet de produire un flot d'ondes d'un bleu particulier généré à partir de la région du chakra laryngé. Une

Nous ne pouvons pourtant demeurer là à ses côtés car l'appel est trop fort. Un appel muet mais bien présent qui nous demande de respirer au même rythme que l'âme d'Elisabeth puis de nous laisser envahir par le flot de ce qu'elle vit.

Quelque chose en nous sursaute... la brève impression d'être aspirés... puis c'est l'univers entier qui se métamorphose autour de nous. La chambre et ses cadres, le lit, Sonia, tout a disparu. Il n'y a plus qu'une lumière blanche un peu blafarde, un peu laiteuse dans une grande pièce vide, immaculée elle aussi.

En face de nous, il y a toute une rangée de sièges également blancs et Elisabeth assise sur l'un d'eux, seule et nue.

Ses yeux immenses et clairs ont aussitôt capté notre présence.

« Est-ce vous ? dit-elle dans un tressaillement. Je vous ai tant appelés... Je ne sais pas bien où je suis et cette salle d'attente est si froide. Tout est si étrange... je ne me souviens plus du moment où je suis entrée ici ni qui m'y a amenée... »

Elisabeth n'est qu'interrogations mais un sourire perce néanmoins derrière son regard qui semble prêt à s'ouvrir à tout.

« Souffres-tu Elisabeth ? » ne pouvons-nous nous empêcher de questionner avant même de lui répondre.

---

telle énergie rejoint directement le corps émotionnel et son aura pour dissoudre une partie de ses pollutions qui se présentent sous la forme de petites masses informes grisâtres ou rougeâtres.

« Souffrir ?... Non, je ne souffre pas... tout est doux ici, si doux... c'est peut-être cette lumière ouatée... je ne sais pas. C'est la mort, dites-moi ? »

« Non, ce n'est pas cela. Tu es... comment pourrions-nous dire ? Tu te reposes dans l'espace de tes pensées. Ce n'est pas vraiment un lieu, vois-tu, mais une sorte de bulle, hors du temps, que ta conscience a générée. Toute âme a cette capacité. C'est une sécurité que lui procure sa nature lumineuse, une façon de se préserver des agressions et aussi, souvent, de se préparer à franchir le grand portail qui mène à l'autre facette de la vie. Tu vis un coma. »

« Mais, ces murs blancs, je peux les toucher ! »

« Chacun de nous, dans les mondes qu'il découvre au-delà de son corps de chair, s'aperçoit un jour qu'il peut toucher ses propres pensées... tant qu'il les fait vivre en lui-même.

Ton cœur est comme un écrin qui attend d'être rempli. Ta conscience ne sait sans doute pas bien encore sur quel chemin la Vie l'appelle, alors ton âme, vois-tu, s'est bâtie cette... salle d'attente tandis que ton corps est épuisé. »

Elisabeth vient soudain de sursauter en portant une main sur le cœur. Au même instant, une profonde gêne se lit sur son visage et la clarté qui nous enveloppe paraît se teinter de bistre. Nous comprenons que c'est la perception brutale de sa nudité qui suscite une telle réaction chez notre amie. Nous sentons alors qu'il nous faut faire le premier pas.

« C'est une grâce pour toi d'être ainsi.

N'en aie pas honte car tout voile que porte le corps, en ce monde, comprends-le, n'est que construction mentale. Il n'est généré que par une reproduction mécanique des conventions ou des nécessités imposées par la matière. Ta nudité présente, Elisabeth, ne reflète que la légèreté de ton cœur et nous montre à quel point tu as su abandonner certaines valises sur le quai du départ.

C'est magnifique, ne crois-tu pas ? »

« C'est difficile... j'ai tant de choses à comprendre ! Je me sens comme un ballon qui flotte dans les airs, à tel point que je ne parviens plus très bien à dissocier le passé du présent. Plus rien n'a vraiment de sens... il y a quelques instants, je me sentais encore vêtue... et pourtant aucune souffrance, aucune angoisse. Tout ressemble à un immense silence, à une montagne de paix, et il y a comme un écran dans mon cœur où viennent s'inscrire pêle-mêle tous les sentiments que j'ai connus autrefois. C'est beau... je pourrais avoir peur mais je n'ai pas peur... »

Une lumière d'un blanc plus intense, plus teinté d'argent, est venue se couler autour de nos trois êtres. Elle les rassemble maintenant dans un même sentiment d'unité totale, sans autre désir que de tout fluidifier et de comprendre.

Pendant un instant, Elisabeth paraît se blottir sur elle-même puis ferme les yeux et entame le plus large sourire que nous lui ayons connu.

« Je l'ai revu, savez-vous, tout à l'heure... enfin, l'autre jour. C'est étrange, il a fallu que j'aie très mal dans ma chair pour que je trouve le courage de prendre ma décision. Pourquoi ai-je eu une carapace aussi rude ? C'est terrible, il a fallu un tel épuisement pour effriter mon mental ! Pourquoi faut-il que nous vivions de telles résistances ? Quel orgueil ! Enfin, j'ai pu le faire. J'ai réussi à demander à Sonia de faire savoir à son père que je désirais le voir. Il y avait tant d'années ! Tant d'années que j'aurais voulu avoir ce courage pour tout effacer ! »

« Et il est venu ? »

« Il est venu. Tout de suite. Et en redécouvrant son visage où il y avait tant de rides que je ne connaissais pas, j'ai été prise d'une sorte de tendresse dont je ne me croyais pas capable. Il ne m'a presque rien dit, mais ce n'était pas la peine... et j'ai aussitôt compris que je ne lui en voulais plus... parce que la vie d'un être n'appartient jamais à un autre être.

Vous savez, je crois que je viens seulement de le libérer car ce n'est qu'aujourd'hui que je peux, sans souffrir, l'imaginer à quelques kilomètres d'ici, avec une autre femme que moi... Ici ! Vous voyez, je dis encore "ici"... alors que je ne sais même pas où je suis.»

« Tu es tout simplement dans l'espace intérieur de ton pardon, Elisabeth. Tu as redécouvert ce qu'est ta propre liberté en acceptant les méandres de ta vie. C'est ta tendresse qui a fait sauter tes verrous. C'est elle, si proche de l'amour, qui t'a révélé cette si belle détente de l'âme et qui t'a donné accès à ce lieu de toi-même.»

« Je comprends mieux... je me visite, n'est-ce pas ? Vous voulez dire que j'apprends à respirer, un peu plus près de moi-même, que je me désolidarise d'un masque.»

« En quittant cette terre, il faut que chacun de nous accepte de mettre bas son masque, toute cette montagne de conventions et de non-dits derrière laquelle chacun croit bon de se réfugier, de se protéger et de jouer la comédie. Partir dans l'authenticité, tu comprends ce que cela signifie maintenant, Elisabeth. Le mensonge, quel qu'il soit, nous suit toujours là où nous allons. Ainsi, vois-tu, il pourrait meubler cette pièce sous une forme ou sous une autre, continuer à polluer ton cœur en cet instant si tu n'avais pas décidé de faire un pas vers le Vrai, si tu n'avais pas décrété le pardon dans le royaume de ton âme.»

Elisabeth a pris sa tête entre ses deux mains et est partie dans un long sanglot, si profond, si doux, que la lumière où nos trois âmes baignent s'est emplie de reflets céruléens.

Quelle paix pourtant ! Car les larmes d'Elisabeth ne sont pas des larmes de douleur. Elles sont les perles de l'amour redécouvert et qui déborde de son cœur.

Levant soudain son visage vers nous, notre amie ne peut contenir plus longtemps ses pensées dans un immense souffle de joie. Alors, elle se met à parler, parler, parler...

« Si vous saviez, il me semble maintenant que pendant toutes ces années je me suis joué une gigantesque comédie. Toute cette rancœur que je ressentais contre moi-même, contre le monde, contre un homme à cause d'un amour blessé, j'ai aujourd'hui la certitude que je ne l'entretenais que par orgueil, par volonté de m'affirmer coûte que coûte dans une même position, pour ne pas donner l'impression de plier, de fléchir en acceptant. Oh, cet amour-propre que je croyais noble, juste, de quelle rapacité je le nourrissais !

Si seulement mon cœur qui se vide aujourd'hui pouvait servir de flambeau ! Il y a tant de choses que j'aimerais dire sur cette simplicité que je n'ai pu découvrir à temps. Nous sommes si nombreux à passer notre vie à poser des conditions à la Vie !

En cet instant où je voyage si aisément dans mes pensées, je voudrais que ceux qui sont en partance comme moi puissent écrire la fin de leur chapitre en paix... car l'espoir vient de ce que l'on donne et non pas de ce que l'on cherche à s'approprier... jusqu'au bout.

J'allais partir avec mon aigreur, vous rendez-vous compte ! Et certains appellent cela de la dignité, de la force de caractère ! Maintenant, je sais que c'est d'obstination et d'égoïsme que l'on meurt trop souvent.

Lorsque je suis arrivée ici – d'ailleurs je ne sais pas comment j'y suis arrivée, en douceur, comme si je m'éveillais lentement au milieu d'un rêve – lorsque je suis arrivée ici, cela a été une sorte d'éblouissement. Il m'a semblé aussitôt que j'étais comme morte depuis des années, que je m'étais desséchée et que je commençais seulement à renaître...

Vais-je y rester encore longtemps ? Qu'y a-t-il après ? »

Elisabeth a pris un regard de petit enfant pour nous poser ces deux questions. Puis elle s'est levée vers nous comme pour extraire avec impatience une réponse de notre âme.

« Tout cela dépend essentiellement de toi, Elisabeth. Si ta conscience ne s'est pas encore totalement dégagée de ton corps, c'est qu'il existe une complicité entre l'intelligence qui réside au fond de tes cellules et celle de ton âme. Peut-être naît-elle d'une vieille mémoire non encore désamorcée ? »

« Y aurait-il encore quelque chose que je n'aie pas compris ? »

« Ne prends pas cela comme une fatalité ni comme un poids. C'est plutôt une chance, une chance ultime de vider tes fonds de tiroir avant d'être obligée de tourner la page. Ce que l'on appelle un coma, peut être une merveilleuse plate-forme de compréhension, une sorte de pic immaculé d'où l'on contemple sa vie et tous ceux qui vous ont aidé, envers et contre tout, à la façonner. »

« Oui... Oh, voyez comme le temps ne signifie plus rien pour moi. Je suis à la fois très lucide et totalement flottante entre deux mondes. Maintenant, je me souviens, c'est vrai... Bien avant que vous ne veniez me rejoindre... c'était, je crois, je l'ai senti, lorsque l'on m'a branchée

110

à tous ces tuyaux... les murs de cette pièce se sont mis à s'effacer.

Ils étaient semblables à des nuages qui s'estompent pour laisser la place à un ciel bleu. Mais ce ciel était rempli de paysages que je connaissais et de visages familiers aussi. Il vivait d'une infinie succession de clichés vivants qui appartiennent à mon histoire. Je voyais tout cela de façon neutre, un peu comme on visite un musée, parfois étonnée et amusée.

Je me suis contemplée quand j'étais enfant, adolescente... étrangement, à la fois à l'intérieur et à l'extérieur de moi-même.

J'ai eu la sensation, et je la garde encore, d'assister à une grande pièce de théâtre où chaque rencontre, chaque situation, chaque petit détail, avait sa place et était minutieusement réglé. J'ai vu à quel point j'ai pu me fabriquer des chutes à bicyclette ou me briser le poignet pour réclamer de l'affection, à quel point aussi j'ai pu décalquer mes craintes d'enfant sur l'éducation de Sonia. J'ai compris aussi une multitude de rencontres, de petits métiers que j'estimais ratés et qui n'étaient pas dus au hasard. Le hasard... j'avais lu que cela n'existait pas, je voulais bien le croire... mais maintenant je sais qu'il ne *peut* pas exister.

Je me suis déplacée tout le long d'une longue suite de rendez-vous ! Mes premières rencontres amoureuses... elles découlaient l'une de l'autre pour baliser une sorte d'itinéraire que je devais reconnaître... et que je sais aujourd'hui avoir reconnu sans m'en être rendu compte. J'ai si souvent cru m'être trompée de route ! Comment peut-on savoir que l'on est sur le bon chemin ? C'est cela que je ne comprends toujours pas ! »

« Il n'y a jamais que le ressenti du cœur et la confiance que l'on place en soi et en la vie qui nous indiquent le bon chemin, Elisabeth. Mais y a-t-il même un bon et un mauvais chemin ? Il y a surtout le chemin que notre éveil nous a fait prendre et qui agit sur nous en tant qu'engrais. Ainsi, vois-tu, il n'y a dans toute vie ni de bonnes ni de mauvaises rencontres ; il n'y a que des instants dont on saisit plus ou moins bien le sens et aussi la façon dont nous réagissons par rapport à eux. C'est là que fleurit toute notre liberté. »

« J'ai la liberté de sortir de cette... pièce blanche ? »

« Mais comprends bien que cet espace, c'est toi-même. Nous nous dirigeons tous vers ce que l'on appelle l'Au-delà, avec les bagages du fond de notre âme. En chemin, nous rencontrons nos résistances, nos limitations et nous les visitons pleinement. Ainsi, ces sièges qui sont autour de nous dans cette « pièce » sont purement issus de ton imaginaire. Ils traduisent une force en ton âme qui s'agrippe et s'appuie encore sur la réalité terrestre. »

« Est-ce mal ? »

« Il te faut quitter ce langage... Ce n'est ni bon ni mal. On ne fait pas mûrir un fruit plus rapidement que sa nature ne le lui permet. Ces sièges, cette pièce neutre sont un peu de toi dans l'instant présent. C'est tout. Avoir un espace "vide" au fond de soi, cela peut surtout représenter une belle promesse. Ne t'empresse pas de le remplir. Laisse-le se modifier à son propre rythme. Vois-le comme une tapisserie qui demande, pour une fois, à se tisser d'elle-même et qui te demande, pour une fois aussi, de faire entièrement confiance. »

« Mais tout à l'heure, avant que vous ne me rejoigniez, il me semblait que ces sièges étaient occupés. Il y avait, assise sur chacun d'eux, une personne que je connais ou que j'ai connue autrefois. Certaines d'entre elles ne paraissaient même pas me voir. »

« Les personnes que nous rencontrons sont parfois des jalons dans notre vie. Souvent à leur insu et à notre insu. Seul, vois-tu, notre être profond, "celui qui ne perd jamais le fil", demeure conscient de leur impact et du symbole même qu'elles représentent. Ainsi, Elisabeth, ce que tu as vu sur ces sièges, ce sont simplement des images du passé reconstituées par ta conscience, comme des perles assemblées. Un temps viendra où tu sauras reconnaître la valeur et la signification de chacune d'entre elles, non pas en elles-mêmes, mais par les réactions qu'elles ont déclenchées en toi. Pour l'instant ne t'en soucie pas. Observe et souris-toi à toi-même. »

« Se sourire à soi-même... ? »

Elisabeth, qui s'est à nouveau laissée attirer par un siège, vient de répéter lentement ces mots comme si elle en saisissait pour la première fois le sens, comme si elle entrait véritablement en méditation.

Cependant autour de nos deux êtres nous ressentons une vague présence ou plutôt une sorte de frôlement, un souffle frais.

Elisabeth quant à elle, continue de s'abandonner à ses portes intérieures. Le corps de son âme s'irise de rose puis de mauve. Enfin, le visage en filigrane d'un Bouddha vient à s'inscrire dans son espace mental. Elisabeth sursaute.

« Non, ce n'est pas lui que je veux ! fait-elle en nous cherchant du regard. C'est le Christ que je cherche ! Personne d'autre... Mon Dieu, il y a tant d'années que je n'ai pas dit cela ! »

Autour de nous, insensiblement, la clarté immaculée s'est mise à ondoyer. On la dirait parcourue par une infinité de vaguelettes qui changent de consistance et bientôt l'ébranlent.

Elisabeth ferme les yeux, secoue la tête et paraît détendre quelque chose de plus en elle tandis que tout s'estompe. Plus de sièges ni de murs blancs. L'espace intérieur de notre amie ressemble désormais à une bulle translucide de laquelle émerge progressivement le monde de sa chambre.

Sonia apparaît soudain là, à quelques pas de nous. Assise sur un fauteuil d'osier, elle tient avec force la main de sa mère toujours allongée, inerte sur le lit. Les yeux clos, habitée par une force, elle ne ressemble plus en cet instant à la jeune femme que nous avons jusqu'ici connue. Sonia prie et sa prière éclate autour d'elle en une multitude de petits soleils bleus qui viennent embaumer l'atmosphère subtile du monde où nous l'observons.

Sonia prie et les mots, les suppliques qui s'envolent de son cœur parviennent jusqu'à nous avec une étonnante force.

Elisabeth les a recueillis à pleine brassée, comme un fabuleux bouquet de fleurs des champs, toutes sauvages, assemblées pêle-mêle, peut-être sans art ni savoir-faire mais si fraîches et si belles de spontanéité.

Nous sentons alors à quel point elle aimerait rejoindre son corps afin de serrer Sonia dans ses bras, au moins une ultime fois... Mais le chemin qui mène à lui est si étroit, si fin, presque imperceptible entre deux mondes. Il faut accepter qu'il en soit ainsi. Alors, c'est notre main qu'Elisabeth cherche et saisit en recueillant les mots malhabiles mais vrais qui surgissent du cœur de sa fille.

« Si tu savais comme je t'entends au fond de ce que tu crois être mon sommeil, lui murmure-t-elle. Parle-moi, parle-moi encore. Cela me réchauffe à un point que tu n'imagines pas. Je suis si bien... Comment te le dire ?... Ne fais plus attention à ces flacons, à ces tuyaux ni à mes paupières closes, je t'en prie... Souviens-toi de cette nuit où tu es venue me voir. Cette nuit-là était aussi vraie que tes jours.

Parle-moi avec ta voix... il me semble que mes oreilles sont encore si vivantes et si proches de ton souffle. Et mes amis... si tu pouvais les faire venir, je les invite... Dis-leur de ne pas avoir peur, que je n'ai plus mal. Et l'infirmière, c'était comme si elle détournait les yeux, hier. Pourquoi ? Pourquoi a-t-elle peur ? Il me semble que je n'ai jamais été si vivante, Sonia, et que j'entends chaque battement de ton cœur et que je comprends aussi tant de choses ! Alors, ne nourris pas de tristesse en moi. Si tu ne m'entends pas, ressens-moi ! Tout le monde le peut... Souviens-toi... L'autre jour, nous avions convenu que tu mettrais ta main sur l'oreiller près de ma tête, paume vers le haut. Je t'avais dit que j'y soufflerais... Souviens-toi. C'était vrai ! Je ne disais pas cela pour emplir le silence ! Tu verras comme je suis près de toi. C'est aujourd'hui que tout se concrétise. Accepte de ressentir et place ta main... ouvre ta main ! »

Soudain, comme si elle venait de se heurter à un mur, Elisabeth s'est tue, le regard fixé sur Sonia qui continue de prier. Cependant, un peu en retrait derrière son corps lumineux, nos deux âmes ne peuvent qu'observer... Avec la force d'un éclair, c'est désormais un véritable jaillissement de flammèches qui emplit tout l'espace à partir du cœur de Sonia.

Tout se teinte alors de mauve et d'oranger tandis que la jeune femme sort d'une poche une minuscule statue, celle d'un Bouddha qu'elle s'applique fébrilement sur le front. Instantanément, Elisabeth paraît suspendre le cours de ses pensées. Elle n'est plus qu'un œil qui englobe tout, analyse tout et essaie de comprendre. Enfin, deux ou trois mots perlent de son être et restent suspendus dans l'éther :

« C'était toi... »

Elisabeth, qui ne parvient pas à se dégager des radiances de Sonia, nous lance maintenant un regard interrogateur. Un regard qui a l'éclat effarouché de celui d'un petit animal déconcerté par une présence inconnue. Il ressemble à un appel.

« Ne savais-tu pas que Sonia se sentait proche de l'Orient ? lui répondons-nous. Tous ces livres dans sa chambre... Tu n'ignorais pourtant pas leur existence. »

« Je lui en avais suggéré un ou deux lorsqu'elle s'était retrouvée seule, elle aussi, il y a quelques années. Et puis plus rien... plus rien. Il est vrai que je n'ai plus vraiment regardé ce qui se passait chez elle. Ai-je été à ce point occupée par moi-même... capturée ? »

Pendant quelques instants, Elisabeth fouille au fond d'elle-même. Nous savons qu'elle remue de vieilles terres et retrouve les anciens chemins parcourus. Elle paraît alors si loin en elle-même... et en même temps si près d'elle-même... à tel point qu'un sourire se dessine enfin à la commissure de ses lèvres.

« Tout est si clair, fait-elle. Il y a une sorte de vent qui vient nettoyer tant de choses en moi. Je comprends... le sens, le secret de tous nos mondes, toutes nos sphères, toutes ces bulles dans lesquelles nous vivons seuls. J'ai vu à quel point il n'était pas nécessaire de quitter notre corps pour vivre chacun dans une bulle à l'image des frontières que nous donnons à notre âme. J'ai dû si souvent et si longtemps vivre dans ma propre petite bulle bien ordonnée, avec mes lectures, mes routines quotidiennes, mes amis "comme il faut", et tous mes refus de tourner la tête. J'ai vécu dans mon espace mental, sans seulement apercevoir celui de Sonia. Cela pouvait être si facile...

Et maintenant, regardez, il me semble que je pénètre dans son monde et que celui-ci m'est inconnu. Cette statuette qu'elle a appliquée sur son front... Est-ce bien son image qui est venue me chercher tout à l'heure ? »

« C'est bien elle, Elisabeth. Dès que le cœur prie, au-delà des mots, il commence à diffuser des images qui reflètent son horizon et ses couleurs. Sonia t'a offert ce qui correspond à sa propre foi. Reçois-le comme tel même si tu ne le comprends pas. Reçois-le sans t'interroger parce que ce n'est pas à ton intellect que tout cela s'adresse. Il faut apprendre à recevoir au-delà des formes. Ecarte un peu plus le rideau. Crois-tu que le Bouddha ait été bouddhiste, le Christ chrétien ou Mahomet musulman ?

Ils étaient et ils sont encore ce que tu dois trouver en toi derrière tes bulles successives. Certes, Sonia aurait dû prier dans « ta » langue, parler avec les mots et les images auxquels ton cœur s'est accoutumé et sur lesquels il a fixé ses racines. C'est toujours ce qu'il convient de faire dans un semblable cas... parler la langue de celui qui part afin de ne pas lui brouiller les cartes jusqu'à sa nouvelle terre. Mais si nombreux sont ceux qui l'ignorent ! Alors, dépasse, dépasse une fois de plus cette petite colline qui te bouche l'horizon !

Accueille la petite bulle de Sonia et son décor. C'est le meilleur d'elle-même. Elle ne veut pas te l'imposer et il n'est que le reflet de sa spontanéité...

Dis-nous, maintenant, Elisabeth... Lorsque ton propre père s'en est allé vers une autre demeure, qu'as-tu fait ? »

Elisabeth a écarquillé les yeux de son âme un court instant, presque saisie par le sens de notre question.

« Ce que j'ai fait ? Que voulez-vous dire ? J'ai prié... je ressemblais à Sonia... J'ai prié de tout mon être. J'ai demandé au Christ de l'aider, je l'ai appelé avec force ! »

« Cela n'évoque-t-il rien maintenant pour toi ? Ecoute ce que la Vie te dit. »

Elisabeth s'est alors jetée dans nos bras, profondément touchée par la déchirure d'un nouveau voile en elle-même. Aucune souffrance ne se dégage de son être, simplement un besoin de fermer les yeux face à une réalité derrière sa réalité ; simplement un besoin de se reposer.

« Mon Dieu... après tant d'années, je n'y avais pas songé. Mon père était athée. Il était athée et je lui ai imposé ma propre foi à l'heure où il a décidé de partir. J'ai dû pénétrer dans sa conscience pour générer des images que toute sa vie il s'est acharné à refuser. Tous ces mots que j'ai prononcés... il n'a pas dû en vouloir. »

« Maintenant, tu as compris Elisabeth. Il nous est toujours demandé de guider celui qui part en empruntant sa propre langue. C'est la qualité, la pureté de notre amour qui prime, car cet amour est le véritable fil directeur de l'âme, l'échelle le long de laquelle elle se hisse pour se trouver. »

« J'ai fait une erreur, dites-moi ? »

« Nous avons tous fait des erreurs... Mais pourquoi s'y attacher ? Si ton cœur était vrai lorsque ton père s'en est allé, il a néanmoins su traduire l'essentiel et c'est cela l'important.

Regarde Sonia, en cet instant. Elle te tient encore la main et récite un mantra alors que ton âme souhaiterait sans doute d'autres mots. L'en aimes-tu moins pour cela ? Au-delà des termes qui te troublent et dont tu ne saisis pas la portée, le vrai don que tu reçois se situe au sein de la lumière qui jaillit de ta fille. Regarde ce bleu et ce safran exhalés par son être subtil. Ce sont leurs caresses qui te portent une aide.

Eux ne sont ni des mots ni des images mais de véritables cristaux d'amour. »

« Si mon âme était fermée à tout, si le néant était ma seule croyance ? Les verrais-je seulement ? Me rejoindraient-ils ? »

« Ils t'envelopperaient aussi sûrement qu'ils le font maintenant. Et ils auraient d'autant plus de force qu'ils seraient habités par le respect de ton être ainsi que du chemin qu'il a pris. »

Tandis que le silence et la communion s'installent peu à peu dans le cœur d'Elisabeth, nous observons qu'à son insu, le monde de sa chambre s'estompe autour d'elle. Au-dessus de nous se dessinent alors des frondaisons couleur lilas, puis du creuset de la lumière surgissent le visage de Sonia enfant et celui de son père en train de rire.

Unie avec sa fille qui prie, Elisabeth voyage maintenant dans son passé comme sur un grand lac calme. Elle en extrait des bribes éparses et les regarde défiler paisiblement ainsi que l'on feuilletterait un album de photos.

« Il y avait de belles choses », murmure-t-elle enfin.

« Pourquoi "il y avait", Elisabeth ? Ce que nous appelons passé, présent et futur sont un et nous devons les réconcilier. Voilà l'énigme qu'il nous est demandé de résoudre... »

« Il me semble parfois l'entrevoir mais c'est la souffrance qui nous égare. Moi, je m'y suis perdue depuis des années. Une histoire si commune évidemment, pas vraiment intéressante, l'histoire d'une mésentente, d'un abandon puis d'une maladie que l'on se fabrique et dont on accuse le monde. Ici, aujourd'hui, je crois que je comprends la mort et que je l'ai admise, mais la souffrance et toute son errance, cela, je ne sais toujours pas.

Faut-il que je l'aie connue pour être ce que je suis et pour que mon cœur ait enfin consenti à se déployer un peu ? »

« Dans l'absolu de l'univers, vois-tu, la souffrance n'est absolument pas le fertilisant indispensable à l'âme tel que la plupart des religions ont cherché à nous l'inculquer, surtout dans notre Occident.

Elle s'est installée dans notre monde lorsque celui-ci s'est délibérément coupé du chemin d'accès direct à la Source Divine. Depuis, elle est devenue une embûche pratiquement inévitable. Cela ne signifie pourtant nullement qu'elle est le moyen privilégié pour parvenir à l'épanouissement de la conscience. Lorsque la souffrance apparaît dans le physique c'est qu'elle a été semée au préalable dans les mondes subtils. Elle est l'ultime maillon d'une erreur, d'une méconnaissance que nous transportons avec nous de vie en vie et qu'il faut apprendre à identifier. Elle est enfin le signal d'alarme que déclenche notre corps lorsque celui-ci se trouve par trop coupé de son essence.

Il est deux façons de cultiver un lopin de terre, Elisabeth. Dans la première on estime que cela est une corvée et on prend l'habitude de penser que chaque coup de pioche ne peut que nous fatiguer les reins.

Dans la seconde, on part d'abord du principe que le fait d'avoir un lopin de terre à mettre en valeur est une chance extraordinaire et que chaque coup de pioche nous rapproche un peu plus de la récolte.

C'est, bien, sûr une image qui peut te sembler simpliste, mais la réalité de ce qui nous est demandé par la vie n'est pas nécessairement aussi complexe que l'on veut bien se le dire.

La vérité est que nous avons oublié la joie. La joie d'être en ce monde... et de faire fructifier les bonheurs simples. Le seul fait de reconnaître cela peut déjà désamorcer bien des souffrances. »

« Je comprends tout cela dans l'absolu... mais comment accepter la douleur lorsqu'elle est enracinée en nous ? Est-elle une punition ? J'ai tant souffert ces dernières années qu'il me semble que l'idée seule de cette souffrance me cloue à la terre et m'empêche de partir. »

« Elisabeth, la souffrance n'est jamais une punition. Il n'y a jamais eu et il n'y aura jamais un bras divin distribuant sanctions ou récompenses. Il y a simplement des messages et des messagers que nous nous envoyons à nous-même ou que nous adressons à autrui d'époques en époques. Pas nécessairement le résultat de ce que l'Orient appelle un karma pesant, mais aussi parfois la conséquence de ce que nous avons accepté de faire vivre à notre entourage pour le faire grandir. »

« Pour le faire grandir ? »

« L'apprentissage de la patience, de la compassion et de tant d'autres choses ne se fait-il pas souvent auprès d'un être qui souffre ? Et toi-même, reconnais-le, n'as-tu pas aujourd'hui découvert une multitude de trésors par le seul fait de ta maladie ? D'âge en âge, nous nous sommes endurcis derrière une telle couche de carapaces que la Vie n'a plus trouvé d'autres moyens que la souffrance pour nous convaincre de nous dépouiller de ce qui n'est pas nous. »

Notre amie a posé deux doigts au centre de son front puis esquissé un léger acquiescement de la tête. Aussitôt, les sièges et les murs blancs dans leur clarté laiteuse sont à nouveau apparus autour de nous, témoins silencieux de la disponibilité d'Elisabeth. Dans l'instant, tout est fraîcheur et ouverture. Le cœur de notre amie respire profondément, comme s'il y avait des portes et des portes qui s'ouvraient en lui, les unes après les autres, sans effort.

Des portes qui viennent à s'ouvrir sur un azur infini, printanier, des oiseaux y volent... ce sont des hirondelles.

Le regard d'Elisabeth s'y suspend un instant puis redescend lentement, lentement vers le sol, comme pour pénétrer quelque chose de plus profond encore enfoui en elle. Alors apparaissent une maisonnette au centre d'un champ, quelques pieds de lavande, puis des hommes et des femmes près d'une lourde voiture noire. Certains parlent d'une voix haute, rient et font de grands gestes. Cependant, dans les bras d'un vieillard coiffé d'un chapeau de paille, une petite fille pleure à chaudes larmes. Elisabeth est prise d'un sursaut. Elle la connaît cette petite fille... c'est elle, c'est elle jadis dans les bras de son grand-père. Pourquoi est-elle encore là ? Il y a si longtemps !

« Non, non... » murmure-t-elle d'une voix pâle... Mais l'image persiste, elle vit en elle, autour d'elle ; elle la brasse jusqu'au cœur de ses atomes. La petite fille pleure et entre chaque sanglot tire sur sa robe avec de petits gestes rageurs comme pour l'enlever, la déchirer. C'est une jolie robe madras, une robe que ses parents viennent de lui offrir et que son père lui a enfilée, presque de force, tandis qu'elle se débattait.

Pourquoi ont-ils de si lourdes valises auprès d'eux, ses parents ? C'est donc qu'ils partent ! Pourquoi l'abandonner ?

« Mais non, nous ne t'abandonnons pas... » lui jure son père d'une voix douce mais hésitante. « Nous allons chercher du travail... Je suis obligé, comprends-le, tu es grande. Regarde cette belle robe que nous t'avons achetée... Elle vient de là où nous allons. Tu la mettras lorsque nous reviendrons te chercher ! »

Mais Elisabeth n'entend plus rien. Elle ne voit que ses parents qui empilent des valises d'un marron sale dans un vieux coffre noir. Elle ne sent plus que les gestes de son père qui lui a enfilé ce bout de tissu à carreaux... Elle est dans la robe de l'abandon, dans un terrible vêtement de solitude qu'elle commence à enfouir dans les tréfonds de son âme.[1]

Un soupir saccadé déchire soudain le film du « passé ». Elisabeth se tient droite devant nous, les yeux pétillants de lumière.

« C'est si doux... Enfin tout est si doux ! »

A ces mots, il n'y a rien à répondre... comme si tout avait été dit. Alors, pendant un long moment, nous vivons tous trois une sorte de plénitude, une sérénité puissante, montée de la terre, un silence magique et régénérant, semblable à celui qui suit un orage.

Le corps d'Elisabeth est désormais étincelant tel un rayon de soleil. Il n'est plus que pardon et compréhension.

---

1 - La notion d'abandon, lorsqu'elle se répète à plusieurs reprises dans une vie, est un facteur que l'on retrouve fréquemment à la source de troubles profonds de la santé, d'après nos propres observations. Chez la femme, il n'est pas rare de la voir ressurgir à l'origine de cancers de l'utérus ou du sein. Il est évidemment toujours possible de désamorcer un tel désordre en identifiant au mieux et au plus vite sa cause. L'exemple d'Elisabeth ne représente ici qu'un cas général, assez significatif toutefois.

« Maintenant, je sais, fait notre amie, je sais que je ne reste plus auprès de mon corps que pour Sonia. Pour l'habituer encore un peu, un tout petit peu afin qu'elle ait le temps de faire mûrir son âme.

L'abandon, le départ... elle aussi doit l'explorer ; la Vie le lui demande, je le vois si clairement ! Puisse-t-elle seulement... ne pas stationner en lui, ne pas l'enkyster en elle comme je l'ai enkysté en moi.

Libère-toi et tu me libéreras, Sonia ! »

Chapitre V

C'est ce soir...

Nous avons laissé Elisabeth dans un long tête-à-tête silencieux avec Sonia et ses proches... et les jours ont défilé paisiblement. Dix, douze, peut-être plus. Durant tout ce temps, nous savons qu'il s'est pourtant dit bien des choses dans la petite maison blanche entourée de bougainvilliers. Des « choses » qui ont voyagé entre deux mondes, messagères d'une quiétude à explorer comme une terre nouvelle.

C'est le regard de Sonia qui a d'abord changé. Certains diront que la fatigue a eu raison de sa douleur, mais non... De là où nous l'avons parfois regardée vivre, nous avons vu un début d'acceptation s'installer en son cœur... puis un abandon plus total de sa lutte contre une volonté qui lui échappait. Non pas un épuisement ni un découragement mais un laisser-agir, une sorte de sourire intérieur adressé au courant de la Vie.

Alors, progressivement, dans cette décrispation qui est bientôt devenue un abandon sacré de toutes les raideurs humaines, c'est l'atmosphère de la chambre d'Elisabeth qui s'est mise à changer. Nous avons vu une bougie y brûler en permanence et un peu d'encens médicinal y flotter souvent en longues bandes de brume bleutée.

Plus de douleur, simplement une attente comme au cœur d'une cathédrale ouverte sur l'infini... Jusqu'à hier, tard dans la matinée, lorsque Sonia assise près du lit s'est souvenue... Lorsqu'elle a posé sa main, paume vers le haut, sur l'oreiller, près du visage de sa mère, afin d'y ressentir un souffle qui est venu.

Nul doute qu'elle garde pour elle seule le souvenir de cette ultime caresse. Et c'est bien ainsi... car il s'en trouverait pour lui dire que la fenêtre était certainement entrouverte et que le vent... mais peu importe. Il y a des pages de vie qu'il faut lire soi-même pour en comprendre le sens.

Enfin, tout à l'heure, alors que notre conscience était ouverte et que nous couchions quelques mots sur le papier, la voix d'Elisabeth est venue se faufiler au plus profond de nous-même.

« Je m'en vais, a-t-elle simplement dit. C'est ce soir je crois... Serez-vous là ? »

C'était le signal que nous attendions, l'appel de cœur à cœur afin de poursuivre le chemin entamé ensemble.

Voilà donc Elisabeth qui se trouve à nouveau face à nous. Mais cette fois elle est prête pour le voyage. Son corps est nimbé d'une belle lumière bleue et ses yeux sont si grands que nous pouvons à peine nous en détacher. En nous voyant venir vers elle, elle semble un instant chercher ses mots puis se contente de sourire.

Dans la transparente clarté que son âme irradie, le monde de sa chambre apparaît peu à peu. Sa longue silhouette est étendue seule dans la pièce, d'une maigreur absolue sous les draps, et semble déjà dormir pour l'éternité.

C'est la nuit et de l'autre côté de la cloison nous sentons la présence de Sonia comme une force active, puis celle d'une amie, sur un lit de fortune, plus bas dans le salon. Cependant, dehors, les grenouilles chantent ainsi que toujours et c'est à peine si l'on entend le ressac des vagues sur la plage.

« Il y a quelque chose qui se dissout... » murmure Elisabeth dont le corps de lumière glisse jusqu'à nous. « J'ai un peu peur.... C'est comme un vent qui me parcourt. »

« Regarde, Elisabeth... Tout s'accomplit en douceur... Il ne peut en être autrement. Regarde cette danse de lumière autour de ton lit. N'est-ce pas merveilleux ? C'est la vie de ta chair qui s'apprête à rejoindre celle de la terre et de l'univers entier. Et toi, toi, n'es-tu pas, plus que jamais, présente ici ? N'es-tu pas plus que jamais toi-même ? »

Elisabeth a acquiescé de la tête puis a fermé les yeux en découvrant sur son visage un si large et si beau sourire.

« C'est l'idée de mourir qui me fait encore un peu peur en cet instant, ajoute-t-elle enfin. Peut-être le mot lui-même... la mort... Presque une timidité inexplicable... ou une pudeur, je ne sais pas. Mais je suis si heureuse d'être allée jusqu'au bout de ma vie, d'avoir fait de mon mieux malgré tout ! Je voudrais... offrir mes maladresses, afin qu'elles servent au monde. Afin qu'elles fassent aimer la chance de vivre sur cette terre, afin qu'il y ait aussi moins de méandres dans le cœur de chacun...

Et puis, je voulais vous dire... Il s'est passé quelque chose de tellement beau ! On est venu me voir...

C'est une tante, partie il y a longtemps. Une tante que j'ai beaucoup aimée lorsque j'étais toute petite. Je ne l'avais jamais oubliée, mais elle était si loin dans mes souvenirs ! Presque un personnage à demi-imaginaire dont on ne sait plus trop si on l'a rêvé ou s'il nous a vraiment serré contre lui.

Et voilà que cette tante est soudainement apparue à mes côtés, dans la pièce blanche, comme si elle sortait de la lumière elle-même. Je l'ai reconnue immédiatement. Son visage, sa démarche, tout était si clair et si doux ! Et pourtant elle me semblait tellement plus jeune que dans mes souvenirs. Je n'ai pas eu peur, au contraire. Cela me paraissait si naturel qu'elle soit là. Alors, elle m'a serrée dans ses bras comme lorsque j'étais encore la petite fille d'autrefois, puis elle m'a juste dit : "Tu sais, Elisabeth, il est bientôt l'heure... je viens te chercher". Et ensuite elle est partie... Elle a disparu, mais pas simplement... en tirant une sorte de grand rideau de soleil entre nous. Tout au moins c'est ce qu'il m'a semblé.

J'aurais voulu prévenir Sonia ou une amie mais, à cet instant, la terre m'est apparue si lointaine et ma volonté de la rejoindre si faible ! Je n'ai pu que vous appeler de toute mon âme au fond de moi... J'ai bien compris que je n'avais à m'effrayer de rien... d'ailleurs j'ai encore un tel flot d'amour dans le cœur... mais je voudrais tellement vivre et comprendre ce qui arrive. »

« Alors, c'est simple, Elisabeth ! Abandonne-toi seulement à l'instant qui passe. N'analyse rien et sois simplement espoir. Entretiens le soleil dans ton cœur et, si cela peut t'aider, donne-lui un nom. Celui qui te parle, celui qui correspond à ce en quoi tu crois. Celui qui a peut-être guidé ta vie, les jours de mauvais temps. Rien d'autre ne compte. Si ton corps fatigué, abîmé, t'apparaît, souris-lui et laisse-le passer. Lorsque viendra la seconde où tu en seras à jamais dégagée, peut-être ne sentiras-tu rien de plus qu'en cet instant présent, ou guère plus qu'un souffle de vent qui te traverse. Alors, tout te paraîtra si naturel !»[1]

« Tout me paraît déjà si naturel. Je n'ai plus aucune notion de temps, et c'est comme si j'avais à jamais cessé de me débattre au centre d'un paquet de nœuds qui se dissolvent d'eux-mêmes. »

« Observe seulement un peu plus le silence qui veut s'installer en toi, Elisabeth. Essaie de goûter sa saveur et écoute ce qu'il veut dire car, vois-tu, c'est de l'intensité et de la pureté de cœur avec lesquelles tu vas vivre ces instants que dépend la beauté de ton voyage.

Abandonne-toi, abandonne toutes tes valises et laisse ta conscience venir habiter doucement, très doucement le centre de ton front. »

Lentement, telle une plume qui se laisse porter par la brise, Elisabeth s'est allongée dans la clarté bleue qui jaillit maintenant à flots de son âme. La « salle d'attente » et ses sièges blancs ne sont à présent qu'un lointain souvenir... Il n'y a plus que notre amie, comme un cœur, comme un espoir, face à elle-même, face à tous les devenirs que la Force de Vie lui offre.

---

1 - La corde d'argent, ce cordon ombilical subtil qui unit le corps physique aux corps de la conscience n'apparaît pratiquement jamais à ceux qui quittent leur enveloppe de chair. Sa rupture, au moment de la mort, ou plutôt sa dissolution n'est pas non plus perceptible en tant que telle. Elle procure simplement un sentiment intense de libération, sentiment qui est vécu plus ou moins pleinement en fonction de l'ouverture de conscience de celui qui part, et donc de son non-attachement, de sa non-identification au corps physique.

Sous le vêtement de son âme qui palpite de lumière nous apparaît alors à nouveau un corps décharné allongé sur un lit, près d'une bougie dont la flamme vacille sur la table de nuit.

Le fin halo de lumière grise qui l'entourait encore tout à l'heure et qui semblait danser est désormais à peine perceptible. De temps à autre, il est encore parcouru par de petites décharges aux accents électriques puis se colore d'une teinte ambrée. Alors, entre la rate et le cœur, un très léger tourbillon y apparaît soudain, frénétique, presque joyeux. Puis, plus rien.

La robe de chair d'Elisabeth s'éteint pour toujours, en silence, tranquillement.

Avec une certaine émotion, nous voyons son enveloppe vitale s'estomper[1], se dissoudre et rejoindre l'infini de l'éther, non pas d'un seul élan, mais en souplesse, avec une extrême lenteur, particule après particule.

Le corps d'Elisabeth, visité par un sourire qui lui entrouvre à peine la bouche, ressemble à un appartement dont les lumières s'éteignent les unes après les autres dans la nuit...

Et pour ceux qui savent, pour ceux qui comprennent, pour ceux qui sentent surtout le sacré de cet instant, il devient semblable à un chant qui s'élève dans cette même nuit... Il est le temple d'une initiation.

Presque instantanément, la forme lumineuse d'Elisabeth s'est redressée au cœur même de la clarté bleue. Elle est venue se placer à nos côtés et se penche maintenant

---

1 - L'aura éthérique. Elle disparaît au moment de la mort, tandis que le corps éthérique lui-même, met environ trois jours à se dégager intégralement du physique.

sur le vêtement qui reste d'elle, dans un lit quelque part sur Terre. En sa présence, nous sommes comme au centre d'un soleil. Tout demeure immobile en nous, hors de nous, mais tout aussi, cependant, évoque une sorte de danse irrésistible, un incroyable élan fait de joie et de paix.

« Mon Dieu... murmure simplement Elisabeth. Mon Dieu... est-ce tout ? »

Avec une extrême lenteur, notre amie éprouve alors le besoin de promener ses deux mains le long de son corps. Oui, elle est bien là cette nuque qui lui faisait tellement mal... autrefois. Il est là aussi, ce sein dont on l'avait amputée... en d'autres temps. Oui, elle est là « toute entière », telle une jeune femme qui se découvre et s'étonne de sa propre beauté.

« Oh, fait-elle encore, mon Dieu ! Comment le dire ? Comment le dire à ceux que j'aime ? Comment leur faire comprendre que je ne veux pas qu'ils pleurent ? Il faut qu'ils sachent que je suis guérie ! Sonia...Je ne suis plus malade ! »

Le corps de lumière d'Elisabeth se met alors à ondoyer dans tous les recoins de ce qui fut sa chambre. Il semble vouloir les habiter pleinement, presque tous en même temps, peut-être une dernière fois. Puis, brusquement, le regard de notre amie s'immobilise sur la petite flamme encore dansante de la bougie, près du lit.

« Si je pouvais la souffler, fait-elle en nous regardant. Ce serait mon signe... mon clin d'œil pour leur dire que je suis bien là ! »

« Il suffit que tu le veuilles de toute ton âme, Elisabeth, que tu le souhaites vraiment... et l'énergie qui vient de ce monde où tu vis maintenant, trouvera d'elle-même le chemin de l'énergie qui mène jusqu'à la Terre. C'est ton cœur et ta volonté, ta confiance aussi qui vont le lui frayer.[1]

Les vibrations qui animent ton cœur sont encore proches de celles de cette chambre. Laisse-toi donc porter par elles si tu souhaites envoyer ce signe à ceux que tu aimes. »

Nous n'avons pas achevé ces mots qu'Elisabeth a déjà fermé les yeux et qu'un courant lumineux légèrement rose a jailli de sa poitrine. Il forme une volute qui semble tout d'abord se chercher et emplir tout l'espace puis qui vient enfin se condenser autour de la bougie. Il n'est pas un souffle mais une onde... Voilà, c'est fait... Sur le bougeoir la petite flamme n'a pas vacillé. Elle paraît s'être éteinte d'elle-même, presque comme pour répondre à un vouloir de la Conscience du Feu lui-même.

Elisabeth ne dit plus rien, ne pense plus rien. Elle rayonne simplement l'étonnement et la quiétude. Seules quelques rides s'impriment encore au centre de son front et aux coins de ses paupières, derniers vestiges d'une souffrance passée.

Instantanément, elle a capté nos pensées et porte aussitôt une main à son visage puis nous sourit avec tendresse.

« C'est étrange, fait-elle, il semble – comment le dire – que plus rien ne me sépare de rien ! Tout mon être est si plein d'un tel sentiment d'unité ! Il me semble pouvoir tout habiter en même temps... et il y a un tel amour... un tel

---

1 - Lorsque le véhicule lumineux de l'âme est encore proche du monde physique, il lui est relativement aisé d'utiliser sa propre énergie au moyen de la volonté et de condenser ainsi un peu de la matière éthérique. C'est cette dernière qui aura une action directement perceptible dans l'univers dense que nous connaissons quotidiennement et qui est à l'origine de certains phénomènes tangibles.

amour ! Il est en moi, il est partout. C'est peut-être cela...
Dieu ! Oh, dites-moi, dites-moi ! »

« Continue simplement d'abandonner ton cœur au souffle qui l'anime, Elisabeth. Les instants que tu vis sont si précieux. Y-a-t-il seulement un désir qui loge en ton âme ? Veux-tu ouvrir la porte de ta nouvelle demeure, veux-tu monter vers toi ? »

« Non... pas tout de suite. Je ne saurai pas... je veux... dire au-revoir. Mon cœur est encore ici, près de Sonia, près de tous les autres...que je n'ai peut-être pas assez aimés. Je sais que je ne devrais pas... »

« Balaye cette notion de ta conscience... Tu dois partir libre, totalement, pleinement ! Va où tu le veux, prononce cet au-revoir avec le langage de ton cœur. Tu ne sauras t'élever réellement si celui-ci n'est pas pleinement rassasié. Va donc où il t'appelle ! Le temps ne compte plus. Seule la paix que tu cultives en toi... et que tu vas murmurer à ceux que tu aimes, importe vraiment. »

Les yeux d'Elisabeth brillent comme deux diamants puis s'estompent, absorbés par la clarté blanche où nous baignons tous trois. Sa silhouette souple s'est alors gommée de l'espace lumineux de la chambre pour voguer vers les ports qui lui sont chers. Notre amie suit l'itinéraire affectif qui la relie aux siens, au plus profond de son intimité et c'est bien ainsi...

Désormais seules dans la chambre, aux pieds du lit sans vie, nos deux âmes observent maintenant le lent manège des éléments qui quittent ce qui fut le corps d'Elisabeth. Rien de morbide dans cette vision des forces de vie éthérique qui rejoignent leur source. Par la danse subtile des atomes du monde vital, c'est le feu qui va rejoindre le Feu, l'eau qui va se fondre dans l'Eau et ainsi de même pour l'air et la terre. Spectacle étonnant et fascinant qui nous montre avec quelle intimité les éléments subtils de la nature d'un corps sont habités par l'intelligence de la Vie et ordonnés de bout en bout par une conscience divine omniprésente.

Nous savons que cette lente extraction du potentiel éthérique de chaque organe, de chaque partie du corps physique durera trois jours. Ce processus, nous le savons aussi se fera à l'insu d'Elisabeth ; c'est pourtant lui qui aura tendance à ralentir l'envol de notre amie en la maintenant un peu autour de son enveloppe de chair. Il y a une biologie subtile qui parle au corps de l'âme et lui imprime son rythme. Il importe de la connaître et de la respecter. Non pas parce que tout cela s'appelle « la mort », mais parce qu'elle témoigne d'une profonde alchimie qui relève du Sacré... parce que la Flamme qui a animé un corps n'est pas éteinte mais simplement déplacée.

Et en contemplant l'enveloppe pâle et décharnée qui fut celle d'Elisabeth, une pensée nous vient à l'esprit. C'est une pensée qui ressemble à un appel, un appel non pas au mysticisme ni à quelque adhésion à un dogme, mais à la logique, à une logique très concrète.

L'énergie électrique qui anime l'ampoule est-elle l'ampoule elle-même ? L'image peut paraître simpliste mais pourtant... ! Qu'est-ce que la conscience ? Qu'est-ce que l'intelligence ? Et si l'on acceptait enfin de reconnaître que le cerveau et le corps tout entier ne sont que leurs interprètes tout comme les filaments d'une lampe sont au service de l'énergie qui les parcourt ? Cela ferait-il si mal à l'orgueil ?

Le temps est désormais venu où il nous faut enfin apprendre à savoir demeurer en présence d'un corps « sans vie » autrement qu'avec un regard de consternation, de crainte ou d'incompréhension. L'instant de la mort est celui d'un échange sacré face auquel il ne faut plus fuir...

Dans le jardin d'Elisabeth, le chant des animaux de la nuit a cessé un instant comme pour laisser au silence le temps de distiller son or... puis tout a repris.

L'absence de notre amie aura été de courte durée. A nouveau, une silhouette souple et longue, d'un blanc teinté d'argent se tient aux pieds du lit. Elle ne contemple pas le moins du monde le corps qui est étendu près d'elle mais regarde dans notre direction et sourit. Elisabeth ouvre son cœur et c'est comme un torrent d'émerveillement qui se déverse dans la chambre entière.

« Je les ai vus... presque tous. Sonia et le petit, puis mes amis. C'était si facile ! Il a suffi que je le veuille de tout mon cœur. Je sais maintenant qu'il y a... comme une infime parcelle de mon être qui vit en chaque point de l'univers et un fil de lumière éternellement tendu entre ceux que j'aime et moi... Pourquoi notre corps fait-il tant de détours pour dire qu'il aime ! C'est si facile ! Tous les cœurs se sont ouverts au mien. Je suis entrée dans les rêves de Sonia, de Michèle, de Jean-René... et je leur ai parlé.[1]

Ils étaient là devant moi... Sonia en train de nettoyer je ne sais quel grenier et Jean-René sur un sentier de montagne avec une foule de gens que je ne connaissais pas.

---

1 - Le monde du rêve peut être comparé à un hologramme généré par la conscience et au cœur duquel celle-ci peut se déplacer, accueillir d'autres consciences. On peut ainsi pénétrer dans « le rêve » d'un autre et même faire fusionner deux « rêves », si toutefois il y a connivence entre les deux personnes. Il en résulte au réveil des souvenirs parfois incohérents mais qui peuvent néanmoins contenir leur part de vérité.

J'avais la sensation que lui pourtant ne voyait que moi. J'ai seulement réussi à lui dire que je n'étais plus malade et que je l'embrassais... J'étais à la fois tellement paisible, sûre de moi mais aussi émue ! Avec Sonia, c'était différent... Cela lui semblait tellement logique que je sois là dans ce grenier ! Alors, elle a commencé par me dire "Tu viens seulement m'aider !"... comme si j'étais en retard. Je n'ai rien répondu, puis son regard s'est mis à changer et j'ai compris – comment dire – qu'elle s'éveillait de son rêve... Alors, le grenier a disparu aussitôt et nous nous sommes retrouvées dans le jardin près des agaves. Là, je l'ai serrée contre moi et je lui ai parlé. Je ne sais plus au juste ce qui est sorti de moi, mais je crois qu'elle était heureuse, presque soulagée. J'ignore si elle se souviendra de tout cela, pourtant c'était tellement fort, tellement bleu, bleu tout autour de nous ! Puis tout s'est cassé, soudain. Je l'ai ressenti comme cela, comme un film qui se casse au moment le plus beau... peut-être justement parce que c'est le moment le plus beau et que le cœur ne supporte pas un tel trop-plein !

J'ai vu immédiatement qu'elle s'était réveillée et qu'elle se mettait à pleurer à petits sanglots dans son lit. Ce n'était pas triste. Il y avait dans la lumière, autour d'elle, une sorte de soulagement malgré la solitude. Je sais qu'elle va bientôt venir ici. Elle est assise dans le noir, sur son oreiller, de l'autre côté de la cloison. Il ne faut pas qu'elle ait peur... je ne le voudrais pas. Je préfèrerais qu'elle attende jusqu'à demain, lorsqu'il fera jour. »

Elisabeth observe une longue pause après ces mots puis se dirige vers les quelques cadres qui ornent le mur au-dessus de la commode. Dans le crépitement des atomes du monde de la conscience, elle les caresse du regard les uns

136

après les autres et émet une sorte de soupir que nous ressentons en profondeur.

« J'aurais aimé qu'il y en ait une de lui, avec les autres, fait-elle enfin. Une photo... de mon mari. »

« Viens-tu d'aller le voir, lui aussi ? »

« Je n'ai pas osé. Quelque chose m'en a empêchée. Son âme m'est devenue si étrangère ! J'aurais eu peur de forcer une porte. »

« Chasse cette peur de toi, Elisabeth. Dans le monde qui est désormais le tien, vois-tu, on ne pénètre pas dans la demeure d'autrui si la porte n'y est pas entrouverte pour nous. Nul ne force quoi que ce soit ni qui que ce soit. Il y a un courant qui doit te porter vers celui qui fut ton mari si tu désires le voir en cet instant. Mais si tu ne génères pas ce courant, comment pourrait-il y avoir une réponse ? »

« Je comprends tout cela ; pourtant, en cet instant, je suis comme sur une mer sans vague et je ne peux pas. C'est étrange... je réalise maintenant à quel point mon identité me suit. Je m'étais imaginé je ne sais quel miracle par lequel la petite personnalité d'Elisabeth allait exploser dès qu'elle aurait à jamais dépassé les limites de son corps.

Je me sens si légère, si paisible, si nourrie de lumière, il est vrai... mais je suis toujours Elisabeth et je garde mon histoire avec moi, même si j'en accepte le sens et tout ce qu'elle a eu de beau. »

« Comprends-tu, maintenant, pourquoi nous voulions à ce point que tu épures ta conscience, et que tu libères le plus possible ton âme avant de quitter définitivement ta chair ?

Lorsque chacun franchit le portail de la mort, il le fait avec son propre psychisme. Ce n'est pas le fait de mourir, vois-tu, qui libère des entraves de l'ego. Toute une vie durant, nous incrustons des informations dans notre conscience, nous y imprimons des données plus ou moins justes, plus ou moins pesantes, une multitude de réflexes ou d'habitudes. Nous sommes semblables à un disque dans lequel les sillons se gravent. Tout cela nous suit... Et si la mort nous permet de prendre de l'altitude, si elle est capable de nous ouvrir un peu plus le cœur, elle n'accomplit pas en un instant davantage de travail qu'une existence entière. Ainsi, Elisabeth, chacun avance avec les horizons de son propre monde intérieur.

Lorsque nous t'avons demandé de te libérer de tes fardeaux, c'était afin que ce que tu vis en cet instant ne soit pas habité par de vieux fantasmes ni de sordides rancunes ou d'amers regrets. C'était afin que ton centre véritable, ton essence, celle qui, un jour, a accepté le vêtement d'Elisabeth, puisse respirer plus pleinement et se reconnaître. »

Dans la pénombre de la chambre, un petit crissement s'est fait entendre. C'est celui d'une poignée de porte que l'on tourne avec précaution. Un dernier grincement étouffé et la silhouette de Sonia se découpe enfin dans la lumière blafarde du palier. Le regard de la jeune femme perce aussitôt la demi-obscurité et se porte sur la table de chevet, exactement là où la bougie est éteinte.

Quelques pas exécutés à la hâte, un craquement sec et voici que, d'une main mal assurée, Sonia vient à nouveau de faire naître une flamme dansante près du visage de sa mère.

Près de nous, Elisabeth observe sans rien dire, puis se glisse lentement derrière sa fille et effleure son épaule d'un geste doux. Sonia a le regard fixe. Pendant un court instant, il nous semble qu'elle ne perçoit rien. Mais non... elle a compris. Sa main se porte alors à sa gorge comme pour y élargir l'encolure de son vêtement de nuit et un petit mot s'échappe d'elle, à peine perceptible :

« Maman »…

Plus rien ne bouge désormais. Les pensées de Sonia semblent figées au creux de sa poitrine et Elisabeth pose doucement sa tête sur l'épaule droite de sa fille. C'est tout le petit monde de la chambre qui paraît ainsi anesthésié et étrangement pris sous le voile d'une indicible paix.

Avec des gestes mesurés, Sonia a enfin tiré une chaise de rotin près de la tête du lit et s'y est assise. Une seule larme a perlé au coin de ses yeux puis a stoppé sa course au milieu de sa joue.

« Parle, Sonia, parle ! dit soudain Elisabeth avec force comme pour extraire sa fille de sa torpeur. Parle-moi ! J'en ai besoin… et tu en as besoin aussi, je le sais !

Je suis bien… mais j'ai encore cette soif d'entendre le son de ta voix qui s'adresse à moi. Tu l'as si peu fait ces derniers temps. Peut-être pensais-tu que je ne t'entendais pas ? Pourtant je n'ai jamais été aussi éveillée ! Je lis en toi facilement ! Je vois déjà dans ton esprit une foule d'images brouillonnes : l'enterrement, les lettres… Laisse tout cela, je t'en prie, et parlons… »

Peut-être Sonia a-t-elle perçu l'appel, peut-être veut-elle simplement libérer son cœur, peu importe… Toujours est-il que les lumières de son âme se mettent à se mouvoir sous l'effet d'un souffle et commencent à colporter des mots.

Entre la mère et la fille, il y a alors comme une énorme et lourde tenture qui se déchire. Les halos qui les entourent l'une et l'autre se mêlent avec une sorte de passion qui génère des langues de feu couleur lilas. Désormais, elles sont toutes deux unies au centre d'une seule volute de lumière semblable à un œuf.

Alors, les mots et les images qui viennent à nous du cœur de ce tourbillon se précisent et s'ordonnent. Ils em-

plissent enfin la chambre toute entière et nous les recueillons.

« Maman... Maman... je ne sais pas si tu m'entends
mais il me semble que je dois te parler tout de même.
Pour toi et pour moi... en réalité, je crois que tu m'entends... et tant pis si je me trompe. Cela fera du bien
quelque part, ne serait-ce qu'à cette pièce, si je te parle...
Tu vois, je ne pleure pas... et je ne voudrais pas que tu
croies que c'est parce que mon cœur est sec. Je veux te le
dire parce qu'il y a trop de choses que je n'ai pas réussi à
te dire. Comme à tous ceux que l'on aime d'amour peut-
être... Je veux au moins réussir à te dire au-revoir.

Il y a sans doute trop de mots que nous ne partagions
qu'à moitié ensemble ; peut-être par habitude, peut-être
par manque de courage. Mais cet au-revoir de maintenant,
je veux que tu saches à quel point j'y crois. Tu avais déjà
essayé de me parler de cet instant où tu partirais, t'en souviens-tu ? Je t'avais repoussée... pour essayer de te faire
croire qu'il ne viendrait pas et que tu t'en sortirais. C'était
stupide, je n'ai pas saisi la main que tu me demandais, j'ai
bêtement essayé de te faire croire à une histoire à laquelle
je n'adhérais pas moi-même... et maintenant que tu es là,
comme ça...

Alors, où que tu sois, tu dois savoir que cet au-revoir...
j'y crois. Pas parce qu'on me l'a dit, ni parce que je l'ai
lu, mais parce que je suis certaine que cela ne peut pas
être autrement. C'est de la confiance ! Et je trouve cela
plus fort, plus grand qu'une équation mathématique...
plus vrai que n'importe quelle théorie de psychologie.

Je n'ai pas besoin de te dire que tu dois te laisser prendre par la lumière. Elle était déjà là dans tes yeux, toutes
ces dernières semaines. Et puis, je ne sais pas si c'est toi
qui est venue me réveiller tout à l'heure, mais il me sem-

blait y avoir tant de clarté soudainement, dans ma chambre... et ce baiser sur mon front. C'était toi, n'est-ce pas ? J'ai ressenti une sorte de bonheur qui m'inondait... et qui m'habite encore ; c'est sûrement ce bonheur qui m'aide à ne pas pleurer. Il me fait presque toucher ta liberté. Je la ressens... et il faudra maintenant que je l'accepte, parce que si tout à l'heure je ne peux retenir mes larmes, je sais bien que c'est sur moi que je pleurerai.

J'ai longtemps cru que nous n'étions pas tous les jours sur la même planète, mais aujourd'hui je sais que notre monde était bien le même... un peu idéaliste, un peu compliqué, un peu menteur... par peur. En ce moment, je suis presque heureuse parce que je me vois telle que je suis et que je te sens bien. Pardonne-moi si je trouve ta chambre paisible... tu comprends ce que je veux dire.

Je te promets qu'il n'y aura aucune tenture noire ni grise dans la maison. Tu n'en voulais pas et je n'ai jamais imaginé qu'il puisse y en avoir. Tu t'es envolée pour un pays dont je n'ai plus bien le souvenir mais où j'irai finalement te rejoindre. Alors, c'est tout. Il faut que j'arrive à me dire cela, toujours... »

Sonia a suspendu là les paroles de son cœur car, de l'escalier, un bruit de pas étouffé est parvenu jusqu'à ses oreilles.

« Quelque chose ne va pas, Sonia ? »

Une petite silhouette féminine ébouriffée apparaît timidement dans l'embrasure de la porte, puis hasarde un pas dans la chambre.

« Voilà... c'est tout, Thérèse, chuchote Sonia sans même tourner la tête. Elle est partie. »

Non loin de nous, aux côtés de sa fille dont elle tente vainement de caresser les cheveux, Elisabeth a pris un air plus grave.

141

A travers la paix de son sourire perle une mélancolie.

« Je croyais que je ne voulais plus de la terre, fait-elle en nous cherchant du regard, et puis... ce n'était pas tout à fait vrai. Quand je regarde Sonia, quand je pense à tous ces visages que j'aime... vont-ils s'effacer de ma mémoire ? »

« Mais pourquoi s'effaceraient-ils de ta mémoire ? Imagines-tu donc que tu vas t'engloutir dans un océan d'oubli ? Tes souvenirs au contraire vont devenir plus vifs, plus présents et tu verras le merveilleux agencement de ta vie.

Apprends à ne rien regretter car c'est le regret qui, vois-tu, alourdit l'âme. Ce que nous appelons karma se nourrit de lui, se bâtit sur lui. Respire, Elisabeth, respire et laisse maintenant respirer ceux que tu aimes. Apprends à ne plus vouloir ; c'est ainsi que ton cœur pourra pleinement étancher sa soif. C'est possible... dans l'instant même. Regarde tes mains ! Ne vois-tu pas quelle lumière les habite ? »

Au-dessus d'Elisabeth, tout autour d'elle, un immense tourbillon nacré est alors apparu. En un éclair il a gommé l'univers de sa chambre et en a avalé la pénombre. Il est semblable à un cyclone de joie. Elisabeth se tient en son centre, suspendue comme dans l'infini, sans point de repère, muette, émerveillée de ce qui s'est ouvert en elle. Car toute cette lumière, elle le sait, elle le sent, est soudainement venue du plus profond d'elle-même. Elle en a jailli presque sans crier gare comme si elle avait attendu longtemps, trop longtemps dans le jardin de son cœur.

Tout là-haut, au-dessus d'elle ou devant elle, elle ne sait plus, il y a une trouée béante sur une telle clarté !... Peut-être un lac de lumière sans fond, ou un diamant qui l'appelle en son centre...

« Oui, oui, viens ! s'écrie soudain Elisabeth qui interpelle la Présence lumineuse. Mon Dieu, comme c'est beau ! »

Et notre amie se met à marcher au cœur d'un couloir entre deux mondes. Un instant, elle paraît se fondre dans la splendeur immaculée qui l'aimante et l'attire toujours plus loin puis, quelque chose dans la lumière ralentit son mouvement... et le Soleil au sein du soleil s'estompe lentement.

Elisabeth est à nouveau là auprès de sa fille et de son amie, le cœur gonflé d'une joie indicible.

Telle une graine duveteuse portée par le vent, sa présence emplit toute la chambre et nous dit son bonheur.

« Est-ce Dieu ? Est-ce Dieu ? » susurre-t-elle en projetant le corps de son âme vers nous.

« C'est la terre de ta conscience, Elisabeth, la terre de ta force d'amour. Tu viens de frapper à sa porte... en oubliant le sens du mot regret. Tu en connais maintenant le chemin et tu sais la simplicité qu'il faut pour le retrouver. »

« Mais pourquoi suis-je revenue ? Pourquoi ? Dites-moi ! Il y avait une voix qui me disait d'avancer et de ne pas avoir peur. Elle était si douce ! Il n'y avait plus qu'elle en moi... »

« En es-tu certaine ? »

« Oui, oui... »

Mais notre amie fait une pause pour fouiller en elle-même puis reprend.

«... Peut-être y avait-il aussi encore un peu l'image de mon corps sur le lit. »

« Alors, tu as toi-même répondu à ta question, Elisabeth. »

« C'est mon... cadavre qui me retient ? Le souvenir de sa douleur ? »

« Chasse ces mots de ta conscience. Nous ne voyons qu'un vieux vêtement, c'est tout. Mais il y a peut-être quelque chose de lui qui te concerne encore. Une insatisfaction, une curiosité ? Laisse tout cela venir à toi, sans chercher. Par simple amour de l'amour. »

Le corps de lumière d'Elisabeth s'éloigne un instant de nous, se penche vers le lit puis contemple Sonia et son amie qui, en silence, vient d'allumer quelques bâtonnets d'encens.

« Oui, dit-elle sans nous regarder, mais avec émotion. Je ne voulais pas le considérer mais il ne m'est pas encore tout à fait étranger, ce corps. Je voudrais... c'est difficile à dire, je voudrais le voir partir. Je sais que c'est inutile mais... si je n'arrive pas à faire cela, j'aurai l'impression qu'il manquera quelques mots, quelques pas dans ma vie. Peut-être ai-je besoin de savoir qui s'intéresse encore à moi... comme un cadeau final. Je ne sais pas ! »

Elisabeth a presque emprunté l'air d'une petite fille pour prononcer ces mots. Ses yeux sont immenses et nous recueillons sur son visage, côtoyant l'émotion et l'émerveillement, cette sorte de curiosité que l'on ne décèle que chez les jeunes enfants.

Où est-elle donc cette femme amaigrie et aux traits endurcis par un masque de souffrance ? Ni sur terre, ni ici à nos côtés car elle vient de renaître. Elle vient d'emprunter la voie étroite que nous emprunterons tous. La voie que par amour nous pouvons tous aussi contribuer, chaque jour, à élargir, graine d'espoir après graine d'espoir.

Alors, lisant dans nos cœurs avec un dernier sourire qui semble vouloir nous embrasser, Elisabeth nous lance quelques mots qui chantent encore :

« Vous avez raison... Je crois qu'il est vraiment temps de tourner une nouvelle page de mon histoire. »

Chapitre VI

Par delà quelques poignées de terre

Aujourd'hui, un petit vent frais vient du large et secoue par rafales les bougainvilliers adossés à la maison d'Elisabeth. Le ciel est d'un bleu limpide et de grands oiseaux y tournoient en lançant des cris plaintifs.

Cependant, un peu au-dessous de nous dans la ruelle en impasse, un véhicule gris métallisé est garé le long de la petite palissade blanche. Il attend là, dans son aura terne, comme l'acteur de l'ultime épisode d'une histoire qui pourtant n'a pas de fin. Par ses portes arrière entrouvertes, on aperçoit encore le cercueil de bois clair que quatre hommes viennent d'enfiler et que des gerbes de fleurs recouvrent peu à peu.

« C'est étrange, murmure Elisabeth, je ne m'étais pas imaginé qu'ils seraient tous venus... »

Nimbée d'une clarté blanche qui lui donne l'air d'une toute jeune fille, notre amie contemple la cinquantaine de personnes qui franchissent en murmurant le portail de son jardinet. Aux côtés de Sonia qui tient la tête basse, un homme aux cheveux grisonnants ferme la marche.

« C'est incroyable... il semble si bien la connaître, comme s'il la voyait depuis toujours... c'est un oncle de Sonia, vous savez... mais il y a si longtemps que nous ne l'avions vu. Nous nous sommes brouillés pour une histoire... »

Elisabeth ne parvient pas à terminer sa phrase et nous la voyons s'éloigner un peu de nous pour dissimuler un lourd sanglot. Cependant, au plus profond de notre être, ses pensées viennent nous rejoindre, tel un cri du cœur que sa pudeur ne peut contenir.

« Une histoire bête... une histoire bête... Pardonnez-moi, je suis à la fois si étrangement heureuse et si... labourée par tout ce que je vois, tout ce que j'entends, tout ce que je sens. J'ai la sensation que mes oreilles, que mes yeux sont doués de mille bras et pénètrent le cœur de chacun. C'est presque trop. Oh, s'il n'y avait cette peine qui monte de Sonia et de quelques-uns, ce serait si fort, si doux ! Mon Dieu, comment leur dire que je ne suis pas là, dans cette boîte ? »

D'un geste sec et précis, un petit homme en casquette a refermé les portes arrière du véhicule gris puis, sans attendre, s'est mis à son volant et en a fait ronronner le moteur. C'est le signal du départ. Chacun alors regagne à la hâte son véhicule abandonné çà et là dans la ruelle, et les portières claquent. Enfin le petit cortège s'ébranle : une quinzaine de voitures qui manœuvrent et tentent de se suivre tant bien que mal. Il y a là une agitation fébrile, contraste surprenant avec cette force paisible que nos âmes ressentent et qui rayonne à nouveau du cœur d'Elisabeth.

« Mon enterrement... mon enterrement, murmure alors avec hésitation notre amie. Ce mot me paraît soudain tellement dérisoire ! J'ai peine à croire que c'est moi que l'on enterre... Qu'est-ce que cela veut dire « enterrer ». Cette seule sonorité me faisait si peur autrefois... et voilà que maintenant j'éprouve une telle indifférence par rapport à ce cercueil et à ce qui reste dedans ! Je voudrais crier que ce n'est pas moi afin que chacun puisse m'entendre ! Oh, dites-moi, comment peut-on se tromper à ce point sur ce qu'est la vie ? Je suis là comme une spectatrice, tellement plus vivante que tous les vivants !

Je ne veux plus le suivre, ce cortège... A quoi bon ? Tout ce qui m'attire encore ici, c'est le cœur de quelques-uns que j'aime. La curiosité et tous ces lambeaux d'insatisfaction, tout cela s'est enfui de moi pendant ces trois derniers jours. Je n'ai plus soif que de vrai et de la lumière de mes amis. Je vois si bien au-delà des masques maintenant ! Je vais vers le Beau, n'est-ce pas ? »

« Tu vas vers ce qu'il y a de plus pur en toi, Elisabeth, et il faut que tu sois authentique avec toi jusqu'au bout, jusqu'à ce que la Lumière elle-même vienne te chercher. Et elle ne viendra à toi que lorsque tu en auras terminé avec ton itinéraire affectif. Ton mental voudrait partir mais il y a encore quelque chose en ton cœur qui veut sans doute aller jusqu'au bout du chemin. »

Elisabeth ne répond rien à ces mots. Son âme demeure dans une sorte d'apnée et ses yeux se ferment.

Bien en dessous de nous maintenant, apparaît le cortège des voitures qui se suivent lentement sur la route du bord de mer. Chacune d'elles n'est plus pour nous qu'une petite tache colorée se déplaçant en silence sous un long ruban de palmiers, quelque chose d'anodin, de presque hétéroclite en cette heure où le grand voile va se déchirer pour notre amie.

Les corps de nos âmes, suspendus ainsi hors du temps et de l'espace, sont soudainement emportés par une joie profonde, une joie qui nous vient du centre même d'Elisabeth que nous n'avons pas quittée un instant.

« Je n'ai pas de mots, fait-elle, je n'ai rien pour exprimer ce que j'éprouve. Je me sens à la fois terriblement seule devant ce spectacle et merveilleusement soutenue ; à la fois vide de tout et incroyablement emplie d'une telle capacité de comprendre et d'aimer... surtout d'aimer ! Parfois, savez-vous, je n'ai même plus conscience de ce corps dans lequel je vis maintenant. Il m'arrive de ne plus le voir, de ne plus le sentir et d'avoir la sensation que mon être entier s'expanse comme une conscience ailée et dilatée, capable de tout englober.

Dans ces moments-là, je crois parfois vivre au cœur de toute créature, pénétrer ses secrets et commencer à l'aimer d'amour. Comment vous dire ? C'est un sentiment de fusion que j'apprends seulement à découvrir. Je me refuse à croire que seule la mort y donne accès. Peut-être est-ce pour cette plénitude que chacun se bat et se débat et que l'on a construit des religions ? Je ne sais pas... Tout ce dont je suis certaine en cet instant c'est que tout est bien et que chaque chose que j'ai vécue était juste. N'est-ce pas incroyable ? C'est dans la mort que je réapprends la simplicité de vivre. Je ne sais pas exactement ce qui m'attend au plus profond de la Lumière mais ce ne peut pas être un jugement. Non...

Pendant ces derniers jours, lorsque je me tenais auprès de mon corps afin d'essayer de parler à mes amis, il m'est arrivé de me sentir comme un oiseau des mers, avec des

148

ailes presque trop grandes. Je me voyais en train de gravir lentement les marches d'un palais ou d'un temple. Une force m'y appelait, et de cette force émanait une musique si belle, avec des chants si grandioses qu'elle seule suffisait à me faire avancer au-delà même de ma volonté.

Je savais dans ces instants-là que j'aurais pu la suivre jusqu'au bout et ne plus revenir, mais toujours les larmes m'en empêchaient. J'ignorais souvent si c'étaient les miennes, même si je ne souffrais pas, ou si c'étaient celles des personnes qui venaient me visiter. Je pense maintenant que la douleur qui vient de la terre engendre la mienne et me rappelle à mon corps. Mais c'est étrange, il y a une sorte de complicité dont il faut s'extraire.

Tout à l'heure encore, je me suis vue souhaiter la peine des miens afin de me sentir plus aimée. Peut-être est-ce pour cela aussi, à cause de cette ultime ruse de mon ego que je suis encore ici, à attendre que la Lumière m'appelle.

Tout à l'heure aussi, lorsqu'on a déposé mon corps dans le véhicule, j'ai vu comme une masse grisâtre et poisseuse qui sortait de la gorge de Sonia. Elle ressemblait à une espèce de glue vivante, sans forme, et qui me faisait presque mal. J'ai compris qu'elle était le rayonnement de toute la peine que Sonia ne pouvait exprimer et que c'était aussi un poison pour nous deux.

J'ai senti que si elle m'avait davantage parlé au fond d'elle-même, au lieu de s'enfermer dans son silence, tout aurait été plus léger. Elle m'aurait aidée à ne pas me river à la terre et je l'aurais aidée, j'aurais su la faire sourire.

La douleur, je le sais, ressemble à une toile d'araignée. On s'y perd, on s'y débat, on y engourdit son âme. Il ne faut pas cela ! Si tu savais à quel point je vis, Sonia ! »

Elisabeth a plongé ses yeux au-dedans des nôtres, des yeux gorgés d'amour, un océan de partage. Aussitôt nous sommes envahis par la certitude que son âme réclame un autre décor, qu'elle est aimantée par un lieu bien précis, bien terrestre encore, car il lui faut savoir... jusqu'au bout. Elle veut boucler sa propre boucle, elle-même.

Instantanément, le cortège de voitures a disparu de notre vue, dissout dans le tourbillon luminescent que génère la conscience de notre amie.

C'est alors un nouvel espace qui s'installe autour de nos êtres... Quelques allées rectilignes sur les flancs d'une petite colline, des marches de pierre, de petits arbres fraîchement plantés, des touffes de fleurs bleues et jaunes... puis au milieu de tout cela, une mosaïque de tombeaux, tel un damier gris et blanc.

Etonnante perception que celle de pénétrer dans un cimetière avec le corps de l'âme. Tout y vibre d'une autre vie, la nature de l'air elle-même y est différente, non pas lourde ni épaisse, non pas chargée de l'angoisse de la mort, mais singulièrement crépitante, témoin d'une profonde alchimie de l'éther.

Déjà, la présence lumineuse d'Elisabeth est à quelques pas de nous, sur le bord d'une allée à côté d'un tas de terre noire et caillouteuse.

Non loin d'elle, l'air contrarié, un homme au crâne dégarni finit de nettoyer les abords d'un trou à l'aide d'une pelle. Tout en transpirant, il souffle bruyamment et ses pensées, qui s'en viennent jusqu'à nous, nous disent son souci de l'instant.

Pourquoi diable ne peut-il être chez lui en pleine après-midi ? Il y avait un si bon match retransmis à la télévision ! Et avec ce vent qui ne veut pas s'arrêter de tout balayer, il serait tellement mieux ailleurs...

Tout en nous rejoignant, Elisabeth sourit un peu tristement.

« Je me sens toujours forte, fait-elle, forte et en paix... mais un peu d'amour de sa part aurait été si doux. Je sens à quel point elle vit, cette terre fraîchement remuée qui va recevoir mon vieux vêtement ; je vois tous ses atomes qui dansent. Peut-être auraient-ils pu danser plus encore avec un peu de conscience... Pourquoi tout cela n'est-il pas ainsi ? Ce serait si beau ! »

« Tu ne peux pourtant exiger que chacun soit pleinement présent dans tous ses actes, Elisabeth. Pour cet homme qui exécute son labeur quotidien, creuser une tombe n'est rien de plus que remuer un peu de terre. Comment saurait-il qu'enclore des pensées d'amour dans ses gestes peut contribuer à sa façon à dilater le cœur de celui qui part ? Toi-même, il y a encore si peu de temps, tu étais à peine sensible à la qualité de l'énergie que nous mettons dans chacun de nos actes. L'humanité en est, malgré certaines apparences, à sa prime adolescence, vois-tu.

Souviens-toi, c'est pour aider celle-ci à croître que ton âme a accepté la présence des nôtres durant ces longs mois que tu viens de vivre. »

Pour toute réponse, notre amie tente de serrer nos mains unies dans les siennes. Mais voilà que soudainement une force semble la contraindre à faire volte-face, et qu'avec l'acuité de sa conscience Elisabeth se met à vouloir fouiller l'horizon.

« Je viens d'être habitée par une sensation étrange, dit-elle aussitôt. Elle est... venue d'un courant extérieur à nos trois êtres, ni agréable ni pesant, quelque chose d'autre... de totalement inconnu pour moi. Peut-être est-ce la vie de cette nature en fleurs ou la force de ce vent que je ne sens pas mais qui me traverse.

C'est souvent lui, le vent, les jours où il soufflait qui a entretenu en moi le sentiment – même souvent trop vague – du sacré. Dans le tourbillon de ma violence intérieure et de toutes mes rancunes, il a toujours été, sans que je sache pourquoi, une sorte de liant pour... ma croyance en quelque chose de plus qu'humain. »

« Tu allais prononcer un autre mot, Elisabeth, tu l'avais déjà dessiné en toi. »

« C'est vrai ; j'allais dire... ma foi. C'est un mot qui me fait encore tant me raidir, même aujourd'hui où je me sens si libre de toute entrave et si ouverte ! »

« Et pourtant, il allait jaillir de toi... »

« Parce qu'à chaque instant, il y a des tiroirs qui s'ouvrent dans mon âme, des puits que je croyais sans fond et qui s'éclairent, parfois brutalement, parfois peu à peu.

La foi... Ce mot-là résume toujours trop pour moi le catéchisme étroit de mon enfance, la présence presque forcée aux offices du dimanche et les yeux que l'on baisse à tel coup de clochette sans vraiment savoir pourquoi...

C'est tout cela qu'il illustre dans ma conscience, les ornements d'un dogme que j'ai trouvé trop étouffant, limitatif et qui m'a presque poussée un jour vers l'athéisme.

Vous savez, je crois que c'est à cause de lui et du cortège d'images qu'il a gravé en moi que j'ai refusé toute cérémonie religieuse. C'est peut-être stupide, orgueilleux une fois de plus mais je me sens mieux ainsi, avec cette confiance que j'ai appris à découvrir jour après jour, malgré tout, pendant ces longs mois. Je la sais plus vraie, davantage issue de mon cœur. C'est celle que je souhaite à tous ceux qui partent, même s'ils lui donnent un autre nom.

C'est une confiance qui n'est plus de surface, qui n'est plus du « plaqué ». Elle n'est pas née parce qu'on m'a dit

« qu'il fallait croire » mais parce qu'enfin je sais qu'il y a une graine de vraie vie en moi et en tous les autres, même en ceux que je n'ai pas su aimer. » Un bruit de pneus, de portière que l'on claque puis de gravillons foulés au pied vient interrompre Elisabeth. Nous avons compris que c'est le signal et, aussitôt, notre amie manifeste une émotion impossible à dissimuler.

« C'est ce qui vient d'eux, fait-elle. Vous ne voyez pas cette espèce de brume qui les entoure ? J'ai l'impression qu'elle est comme un gaz qui va m'étouffer. »

En effet, entre les arbustes en fleurs et les silhouettes ternes des tombeaux, apparaît maintenant dans l'allée centrale, une sorte de brouillard opaque englobant un groupe de formes humaines qui marchent lentement. Près du cercueil qui ouvre le cortège nous reconnaissons immédiatement la présence de Sonia accompagnée de l'homme à la chevelure grisonnante puis de quelques proches.

De temps à autre, au-dessus de ce groupe d'hommes et de femmes qui s'en vient vers nous, une volute de lumière brune s'élève puis se dissout tandis que de petites masses bleutées tentent çà et là de percer l'écran de grisaille qui les enserre.

Nous savons que celles-ci sont issues de prières ou de simples pensées d'amour émises par quelques-uns. Que ne sont-elles donc plus nombreuses et plus actives afin d'aider Elisabeth, Sonia et tous les siens à mieux respirer, à respirer par le centre de leur poitrine... là où ils peuvent comprendre ?

Elisabeth, dans une belle robe jaune que son âme a tissée et qui est en tous points semblable à celle dont on a revêtu son corps, s'est davantage rapprochée de nous et tente maintenant de trouver un peu de paix.

« Ne te laisse pas prendre par cette brume pesante, lui murmurons-nous. Cette peine ne doit pas être la tienne. Ne la laisse pas se refermer sur toi. La douleur ne se gomme que par l'espoir. Ne permets pas à son filet de s'abattre sur toi comme une toile d'araignée. Elle ne doit pas émousser ta confiance. Sans attendre, parle à Sonia aussi librement que tu nous parlais à l'instant, tente de lui dire la joie et la force que tu as commencé à découvrir. Elle les ressentira, sois-en certaine, car pour ceux qui aiment, l'oreille se prolonge au-delà de la chair.

Tu es assez forte pour changer l'atmosphère de tout ce que tu vois. Regarde ces petites sphères de lumière bleue. Elles sont de l'espoir à l'état pur ; c'est sur elles que tu dois t'appuyer. En les recevant, en y joignant toute ta confiance, tu les aideras à grossir, à prendre plus de place dans le cortège. Tout vibre, tu le sais Elisabeth, et certains de tes amis le savent aussi. Centre-toi donc sur toutes les pensées d'amour et d'espoir que tu captes, ainsi tu génèreras autant de rayons de soleil qui dissiperont la brume des émotions et des peines.

Tout ceci est le dernier acte de ta renaissance, Elisabeth. Voilà ce qu'il faut te dire et leur dire. Laisse enfin le cordon ombilical se rompre de lui-même... car tu l'as dit : tout est bien. »

Sans manifester quelque pensée, Elisabeth nous a attirés plus étroitement dans son aura et nos trois âmes, d'un commun élan, se sont extraites de l'onde du cortège qui avance.

Désormais nous observons la scène comme d'une nacelle suspendue à quelques mètres de hauteur, aspirés par la volonté pressante de notre amie.

Cependant, juste au-dessous de nous, le cercueil a déjà été déposé sur le sol tandis que deux hommes en costume sombre s'affairent autour de lui avec des cordes. Dans l'assemblée fouettée par les rafales de vent personne ne dit mot.

Sonia, quant à elle, a redressé la tête et, malgré son regard fixe, paraît plus paisible. Autour d'elle quelques personnes se sont regroupées rapidement avec la volonté de la soutenir. Des flammes bleues, des lueurs rosées se dégagent de la plupart d'entre elles ; elles semblent presque douées d'une vie propre et nous les voyons se répandre dans toute l'assistance comme si elles cherchaient à émailler celle-ci de la quiétude qui est leur.

« Regarde, Elisabeth, disons-nous, vois-tu à quel point quelques rares personnes suffisent parfois dans un groupe à changer le ton de celui-ci ? C'est pour cela que Sonia et son amie parviennent à se sourire maintenant. L'espoir les a contaminées. Regarde bien, il y a véritablement çà et là des fleurs de lumière qui jaillissent. Elles sont pour toi, saisis-les ! »

« Si vous saviez comme je les reçois déjà ! Toutes leurs couleurs sont des pensées dans lesquelles je lis à livre ouvert. Oh, il n'y a pas un cœur dans tout ce monde dont je ne perçoive les secrets. Je les sonde sans le vouloir ; tout ce qui les emplit vient vers moi avec une telle profusion ! C'est à la fois enivrant et troublant. Il y en a de si beaux qui me parlent, mais aussi de si mensongers et de si fades dont les préoccupations vagabondent. Qu'importe ! Je prends tout, j'accepte tout !... Ils sont venus au moins pour Sonia. Et puis il y a ces deux personnes qui se tiennent derrière elle... ses amies que je ne connais pas, sans doute. Elles récitent en elles-mêmes des paroles auxquelles je ne comprends rien. Peut-être du tibétain, du sanskrit ; je ne sais pas, mais cela me fait du bien. Il y a comme des vaguelettes vertes qui sortent de leur gorge et qui s'en viennent à ma rencontre. Elles font monter quelque chose en moi, quelque chose de fixe, de centré au milieu de tout le désordre des pensées que je me crée, que l'on m'adresse et qui toutes se cherchent. Me serais-je trompée ? Peut-être fallait-il un rituel religieux ? »

« Ne te pose plus cette question et vois les choses simplement. Un rituel est semblable à un pilier inébranlable qui relie à une énergie ancestrale. Il peut aussi servir à fixer le mental tout en l'aidant à générer une force non négligeable. Dans ce domaine, le problème, en Occident, vois-tu, vient du fait que nos sociétés ont appauvri leurs rituels en en oubliant les significations, les racines et la portée. Ces rituels sont devenus, pour la plupart de ceux qui les répètent encore, une sorte de mécanique sans batterie, une simple habitude. Ils sont tombés dans l'art du paraître et entretiennent hélas plus une dynamique de tristesse ou de mélancolie que de joie et d'espoir. Dans le cas d'un départ, si la volonté de ceux auxquels ils sont destinés les réclame néanmoins, ils ont toujours leur place et il faut la respecter car ils peuvent malgré tout apaiser l'âme.

Quant à toi, ne regrette rien. Ton cœur a choisi librement et c'est bien ainsi. Prends l'amour qui se présente à toi maintenant, quel que soit le visage sous lequel il transparaît, quel que soit aussi le chemin qu'il emprunte. »

Un peu au-dessous de nous, le cercueil vient à l'instant d'être déposé au fond de sa fosse. D'un geste sec les cordages en sont dégagés et, tandis que quelque chose paraît s'immobiliser au cœur même du temps, chacun offre son recueillement.

Pas une larme mais, au contraire, une sorte de torpeur dans laquelle les pensées les plus éparses paraissent s'engluer.

A nos côtés, Elisabeth ne réagit pas. Elle demeure ainsi un long moment, d'une fixité totale, presque froide, puis enfin nous sourit.

« La force qui m'anime est désormais si étrangère à tout cela, finit-elle par dire. Regardez ces vestes grises et ces robes éteintes... Quel rôle jouent-elles au juste ? Elles ne parlent que de mort ! Cela ne me concerne pas... Seuls quelques uns ont compris que je n'aimais pas cela. S'il vous plaît, n'oubliez pas d'écrire que je n'aimais pas cela ! »

Tandis que notre amie achève de nous transmettre ces mots, une voix masculine s'élève avec hésitation de l'assemblée. Nous voyons aussitôt qu'elle est celle de l'homme à la chevelure grisonnante qui n'a pas quitté Sonia. Nous n'avons pas saisi le sens de ses paroles mais, faisant une pause, celui-ci plonge une main dans une poche et en ressort une petite feuille de papier bleu, manuscrite. Ajustant rapidement ses lunettes avec une gêne mal dissimulée, il en lit alors le texte. C'est un poème, un poème un peu malhabile sans doute, mais qui parle de soleil, de pardon et d'éternité. Un poème tout de fraîcheur ainsi qu'en écrivent parfois les adolescents lorsqu'ils s'éveillent à eux-mêmes.

La lecture n'en a pas plutôt commencé qu'Elisabeth a tressailli puis serré fortement la main de l'un de nous.

« Mon Dieu, pourquoi fait-il cela ? susurre-t-elle. Où a-t-il pris ce texte ? C'est moi qui l'ai écrit... C'était il y a trois mois, lorsque j'ai commencé à comprendre. Je ne l'ai montré à personne. Que Sonia l'ait trouvé c'est logique, mais pourquoi le lui avoir donné... à lui ? »

Fortement troublée, notre amie tente malgré tout de se laisser porter par le son de la voix qui récite lentement son poème.

« Il m'est devenu tellement étranger, ce texte... J'éprouve même la sensation de ne jamais l'avoir rédigé. J'ignorais que j'avais su libérer mon cœur à ce point. C'est peut-être cela qui m'a aidée à partir... Regardez Sonia, elle jette un regard complice vers son oncle... elle le voyait sans doute à mon insu. C'est bien ainsi... elle est plus mûre que je ne l'étais. Elle a compris avant moi qu'une porte que l'on ferme sur quelqu'un n'est jamais un signe de victoire. »

Un petit bruit sec est venu interrompre les pensées d'Elisabeth. C'est celui de la première poignée de terre jetée sur le cercueil et avec elle c'est une nouvelle page qui se tourne. Bientôt, ce sera le défilé devant le trou et d'autres poignées de terre qui se succéderont en guise d'adieu.

« Mon Dieu... fait Elisabeth, je n'ai plus rien à faire ici. Comment partir ? Je veux surtout emporter avec moi la tendresse de tous ces regards qui se posent sur ce petit carré de terre. Je sais qu'elle va m'aider à monter... Il faut que je vous dise, depuis quelques instants, je sens comme un léger tourbillon au centre de ma poitrine. Il est fait d'une délicate chaleur qui semble vouloir s'étendre à toute mon âme et mon état d'être se modifie si vite... de seconde en seconde.

Je vais... de soulagement en soulagement, de libération en libération.

Regardez ce vent qui vient emmêler leur chevelure, j'en devine la force... il est tellement gai ! Peut-être y est-il pour quelque chose dans tout ce pétillement qui prend naissance en moi ? Tous les éléments de la nature paraissent incroyablement présents dans ma conscience. Ils sont une intelligence qui m'emplit et dilate une flamme au-dedans de moi.

Oh, si je pouvais insuffler cela à tous ceux que je vois ici ! J'ai la sensation que tout ce qui vibre autour de moi,

158

les feuilles de cet arbre, le poli de ces pierres, que tout a la douceur du velours. Ce n'est pas de la poésie, cela, savez-vous ! C'est tangible pour mon être. Tout est si puissant, si doux que je crois même pouvoir toucher la carapace de ce gros insecte qui marche là-bas au milieu du chemin. Je la caresse à distance, comme si mon corps pouvait se démultiplier, s'étirer, et j'en perçois toute la rondeur. J'éprouve la même chose pour les fleurs... je me sens capable d'en pénétrer le cœur, de m'y fondre cependant que la chaleur monte en moi...

Je vais les laisser partir, maintenant, tous, même Sonia. Il faut que je les laisse vivre et qu'ils me laissent respirer. Il faut que je découvre différemment le parfum de la Terre. »

A quelques pas sous nos trois silhouettes de lumière, ce ne sont plus désormais que poignées de mains échangées et accolades éparses. Des gerbes de fleurs circulent encore de l'un à l'autre et on hésite à se séparer, par politesse, par pudeur, par affection. Bientôt la lourde grille du cimetière se met à grincer et ce sont les premiers départs accompagnés par les aboiements d'un chiot sans doute échappé d'une voiture.

Aussitôt, Elisabeth, qui s'était mise quelque peu à l'écart, se tourne vers nous d'un air nostalgique. Tout son être nous semble plus immaculé que jamais et d'une transparence légèrement argentée.

« Là où je vais, dit-elle, ce sont sûrement des choses comme cela qui vont me manquer. Depuis des années, je n'avais plus assez d'amour en moi pour adopter un animal, mais je les aime. »

« Là où tu vas, Elisabeth, pourquoi penses-tu qu'il ne puisse y avoir d'animaux ? Là où tu vas correspond exac-

159

tement au jardin de tes espoirs, au jardin de ton cœur. T'imagines-tu une seconde que seul l'homme soit doté d'une âme, que lui seul ait un devenir ?

En cet instant où tu pars, prends conscience qu'il y a des millions et des millions d'âmes – nous ne parlons pas simplement d'âmes humaines – qui empruntent un chemin analogue au tien. Tu le verras car, là où tu vas, les animaux ont leur place. Ils s'y rendent simplement par une route plus directe que celle des hommes, une route intérieure dégagée des obstacles et des ronces que constituent les mille questionnements du mental. C'est assurément l'ego qui freine notre ascension et c'est dans ses enchevêtrements que nous nous égarons parfois. L'animal au contraire connaît parfaitement sa destination. Il en garde depuis toujours au fond de lui-même l'image lumineuse parce qu'il vit dans l'instant présent. C'est sa simplicité d'âme, vois-tu, qui demeure à ce titre un véritable trésor susceptible de nous inspirer. Il y a en lui une fraîcheur qui constitue un code d'accès immédiat aux réalités que nous disons intangibles. La mort n'est pas pour lui un mystère. Elle ne lui inspire pas d'effroi lorsqu'elle vient d'elle-même, en son heure. Quant à nous, le dénuement intérieur qu'elle nous impose de retrouver fait d'elle une incroyable initiatrice. »

Une sensation difficilement descriptible nous fait stopper là notre échange avec Elisabeth. Nous éprouvons, non pas un malaise, mais la perception confuse d'une présence étrangère à l'aura commune que nous formons tous trois.

Un voile un peu grisâtre vient même, en une fraction de seconde, de se faufiler devant les yeux de notre âme. Dans le cimetière, au-dessous de nous, cependant, hormis le fossoyeur qui entreprend de reboucher le trou, rien ne bouge plus guère, tandis qu'au-delà de la grille, seuls quelques bruits de pneus se font encore entendre.

« Vous aussi vous êtes morts ? »

C'est une voix un peu sèche qui a lancé cette interrogation. Elle provient d'un vieillard qu'aucun de nous n'avait vu arriver. Avec son chapeau de paille tressée et son vieux costume de coton gris clair élimé, il semble presque pitoyable. Le dos légèrement courbé, le sourcil épais, il se tient maintenant face à nous, l'air anxieux mais aussi inquisiteur.

« Vous aussi vous êtes morts, alors ? »

« Je le suis... si vous voulez », répond alors Elisabeth avec beaucoup de douceur dans la voix.

« Ah... faudra qu'on m'explique. Je veux bien être mort, moi aussi, mais il y a des choses... »

Ces quelques paroles ont suffi. Tout s'éclaire désormais pour nous : l'étrange sensation éprouvée tout à l'heure par notre amie, puis cette perception confuse qui était nôtre il y a un instant. Nous sommes en présence de l'âme d'un vieil homme qui ne parvient pas à s'extraire du monde terrestre. Peut-être a-t-il fait de ce cimetière une sorte de demeure passagère pour sa conscience... Son regard, que nous percevons maintenant clairement, reflète une sorte d'hébétude mêlée d'entêtement. Sait-il seulement depuis combien de temps il est là ? Hors du corps, lorsque la chair s'en est allée, les jours et les mois ne sont souvent plus que des mots. La conscience y goûte différemment. Soit elle s'y englue, emportée par son propre besoin de sommeil, soit elle les transcende et découvre alors la perle cristalline du présent.

Pour l'heure, il semble bien que le vieillard se soit égaré dans les méandres de sa personnalité terrestre et que son interrogation ne signifie rien d'autre qu'une demande d'aide.

« Alors, si vous êtes morte, vous allez peut-être pouvoir me dire où on peut aller... je n'y comprends pas grand chose. On m'a mis sous une dalle, il y a un moment, là-bas dans la rangée de droite... J'ai tout vu... et puis maintenant, je suis là. Que voulez-vous que je fasse ? Personne ne m'entend ! Je ne veux plus aller chez moi, il y a des gens... Il n'y a que leur canari qui s'arrête de chanter si j'entre dans la maison. D'abord, si c'est cela la mort, où sont-ils tous les autres morts ? Vous voyez bien qu'ils disent n'importe quoi les curés ! Il faudrait déjà que je sois certain d'être mort... Je veux bien le croire, on est déjà venu me le dire... un genre de type tout blanc, tout transparent. Sur le moment je me suis senti bizarre et je l'ai cru mais tout de même... je n'ai pas voulu le suivre. »

« Vous n'avez pas voulu ? »

« De toutes façons, je ne pouvais pas. C'était plus fort que moi. Je ne pouvais quand même pas laisser ma maison comme ça ! Il y a des gens qui y sont allés, j'ai cru qu'ils allaient tout prendre. Et puis, c'est un neveu qui est arrivé... des années que je ne l'avais pas vu celui-là... et il a tout vendu, même la maison, le jardin, tout ! Ah, mais on ne se débarrasse pas de moi comme ça ! Je peux encore y aller quand je veux... »

« Ne croyez-vous pas que vous devriez penser à autre chose qu'à votre maison ? Il se pourrait bien qu'il y ait d'autres horizons... Et les autres morts, ainsi que vous le dites, où pensez-vous qu'ils soient ? »

« Oh, c'est déjà ce que m'a dit le type tout blanc ! On voit bien qu'elle n'est ni à lui ni à vous cette maison ! J'ai mis plus de trente ans à l'améliorer et à en faire bien pousser

162

les arbres... vous rendez-vous compte ? Et dire qu'ils ont changé la tapisserie... elle n'était même pas usée !

Enfin, quand le type est parti, il m'a dit que je me fatiguerai et qu'à ce moment-là, il reviendrait me chercher. C'est ce qu'il croit ! Je ne comprends peut-être pas tout, mais je ne me laisserai pas faire aussi facilement. Je ne suis pas si mort que ça ! Allez, on se reverra un de ces jours... et surveillez votre maison, c'est moi qui vous le dis. »

Sur ces mots qu'il a presque jetés au visage d'Elisabeth, le vieillard a fait volte-face et s'est aussitôt éloigné de nous. Nous le voyons maintenant disparaître en claudiquant, au bout d'une allée, absorbé par l'éther du lieu et bientôt emporté sur les ailes de ses pensées vers une autre destination familière.

Elisabeth se glisse alors devant nous, plus sereine que jamais et vibrant d'une clarté qui n'est plus de ce monde.

« Je voudrais... Ne peut-on rien faire pour lui ? »

« Pas directement, vois-tu. Le détachement est telle une fleur qui s'épanouit en son temps. L'âme a ses saisons et on ne peut l'éclairer d'un soleil trop violent simplement pour en précipiter l'éclosion. Il faut souvent accepter qu'elle continue de respirer à son propre rythme, accepter aussi qu'elle expérimente l'erreur. D'ailleurs qu'est-ce qu'une erreur ? Rien d'autre que l'expérimentation d'un itinéraire difficile mais nécessaire à la maturation. La notion d'erreur est toujours très relative, ne crois-tu pas ? Elle nous fait immanquablement pénétrer dans un monde de jugement dans lequel nous nous érigeons en tant que détenteurs de la juste mesure et de la droite ligne.

Que savons-nous de la fonction exacte des errements de cet homme et d'aucun ne concevront-ils pas, d'ailleurs, ta présence à ton propre enterrement comme une autre forme d'errement ? »

« Ne faut-il donc jamais intervenir, jamais aider ? »

« Si bien sûr, mais en respectant les nécessités et les choix de chacun. Il faut savoir être présent, sans volonté d'enfoncer les portes. Lorsqu'une âme se ferme et tourne « en circuit fermé » sur elle-même, l'aide la plus juste et la plus active que l'on puisse lui proposer a simplement pour nom « prière ». A notre époque, tu le sais pour l'avoir parfois ressenti toi-même, ce mot et ce qu'il évoque génèrent bien sûr fréquemment le sourire. Il paraît si dérisoire en regard de certaines souffrances !

Tout cela vient du fait que l'on connaît mal l'action de la prière. On ne la conçoit que comme une simple supplique béate ou une série de lamentations qui tranquillise la conscience de celui qui l'émet.

Mais, la pensée, tu l'as encore éprouvé tout à l'heure, Elisabeth, est un ensemble d'ondes, et cet ensemble, surtout s'il se trouve amplifié par un élan venu du cœur, a la capacité très concrète de modifier le rythme vibratoire propre à une conscience.

Ainsi peut-on, en douceur et avec amour, aider l'âme d'autrui à s'ouvrir, c'est-à-dire à accéder à un horizon plus large, plus léger, plus aimant.

Ne crois pas que cet homme qui est venu vers nous soit seul dans l'univers clos qu'il s'est forgé. Il existe, issus du monde qui t'attend, des êtres dont le vœu est de guider les âmes s'attardant trop dans la matière dense. Ces êtres agissent par petites touches, par contacts répétés et appropriés à chaque cas. Leur but est d'opérer la décrispation des consciences encore trop rivées à la Terre. Ce sont des accoucheurs dont la volonté est de faire naître l'espoir, l'espoir par-dessus tout ! Et chacun de nous dans son corps de chair peut agir de même par la seule force de son amour. Il ne faut pas l'oublier... »

« L'espoir… il n'y a plus que ce mot en moi. Ce n'est même plus un mot, d'ailleurs, ni une notion. C'est… quelque chose que je sens « bouger » dans mon être, une force qui pulse. Déjà, je ne perçois plus rien comme il y a quelques instants… Il m'enveloppe dans un tourbillon tellement doux ! »

Au-delà de notre perception immédiate, « quelque chose » de plus s'est en effet modifié en Elisabeth. La lumière qui l'habitait encore ce matin même s'est débarrassée d'un élément indescriptible qui l'apparentait toujours à la Terre. Le corps de notre amie s'est en réalité davantage fluidifié, épuré de quelques scories. Dans la robe jaune qui est encore sienne, il s'est paré d'une nouvelle jeunesse et celle-ci en a gommé la moindre trace de tension.

Comme elle nous paraît loin, loin déjà cette Elisabeth souffrante et rongée que nous avons rencontrée il y a quelques mois. Saura-t-on jamais dire un jour la beauté de la métamorphose qu'une âme peut opérer sur elle-même… en découvrant simplement le vrai langage de la Vie en elle ?

Ainsi, en silence, il ne nous reste plus maintenant qu'à observer l'Amour qui poursuit son œuvre… et nous invite dans son tourbillon.

Chapitre VII

Derrière le voile

Au-dessus de nos âmes unies, au-dessus du cimetière et de ses grands arbres balayés par le vent, il n'y a que l'immensité céruléenne du ciel. Une immensité qui nous parle et semble vouloir dilater notre cœur à n'en plus finir...

« Le Ciel... murmure Elisabeth au plus profond d'elle-même, le Ciel, c'est quoi, c'est où ? Est-ce là-haut ? Lorsque j'étais petite enfant, on me disait... »

Mais la voix d'Elisabeth s'est éteinte d'elle-même. Peut-être s'est-elle réfugiée dans l'écrin le plus secret de sa conscience... peut-être s'est-elle laissée caresser par quelque chose de plus qu'humain.

Nous-mêmes éprouvons le soudain et irrésistible besoin de freiner la course de nos pensées puis, paisiblement et amoureusement, de nous laisser porter par le souffle du présent qui s'expanse.

Dans la complicité qui nous unit à Elisabeth, quelque chose en effet dans le temps s'est immobilisé. Non pas figé, mais immobilisé, comme pour en faire éclater le sacré, comme pour projeter ses feux sur ce qui est immuable au fond de chacun. Là, dans le temple intérieur, dans le saint des saints du cœur, nous voyons bien, alors, à quel point ce temps n'est que lumière. Nous le contemplons telle une route au-dedans de notre conscience, et nous en suivons le tracé dans l'espace déjà infini des yeux d'Elisabeth. Tout est si beau... mais il faut aller tellement plus loin encore, là où le miroir des apparences et de nos mille masques vole en éclats.

« La lumière... oh, la lumière... »

Nous ne savons si notre amie a explosé de joie ou a simplement soupiré en prononçant ces mots car la force qui s'est échappée d'elle a des accents indicibles.

« Où êtes-vous ?... cette lumière... oh, c'est Lui, c'est un Soleil qui vient me chercher ! »

Face à nous, le corps de l'âme d'Elisabeth n'est plus désormais que transparence. Il est nourri de tous les pétillements du bonheur, prêt à s'avancer vers une nouvelle réalité qui lui ouvre les bras.

Le petit coin de cimetière avec ses allées rectilignes, le bord de mer et ses vagues déferlantes, les taches rouges des bougainvilliers, ne sont plus que souvenirs fugaces. Quand était-ce ? Tout à l'heure ? Mais « maintenant » est immense, « maintenant » est si éclatant de beauté !

Progressivement contaminés par cette sorte d'extase qui ravit Elisabeth au monde de la Terre, nous commençons à percevoir le Grand Soleil qui s'en vient la chercher.

Mais ne serait-ce pas plutôt elle, plutôt nous, qui nous en allons vers Lui ? Quelque chose en effet a changé dans la perception que nous avons de nos propres corps subtils. Les atomes en vibrent plus intensément... peut-être comme si chacun d'eux devenait conscient de son propre souffle. Nous comprenons, nous sentons que c'est la transformation, l'ascension d'Elisabeth qui nous aspirent et nous impriment ce mouvement qui est le sien. Alors, il nous faut nous y abandonner, nous laisser conduire en toute confiance, afin de témoigner, jusqu'au bout, du grand voyage de l'âme.

En quelques instants, la présence tangible de notre amie a échappé à nos yeux. Nous éprouvons la troublante sensation de vivre dans l'ambiance de son cœur, de palpiter dans une spirale de lumière immaculée dont elle habiterait chacune des particules. Seule sa voix nous parvient avec force et nous pénètre au point où nous ne pouvons plus la dissocier de nos propres pensées.

« Ecoutez-moi, écoutez-moi... Oh oui, il existe, ce merveilleux couloir au bout duquel le Soleil nous attend. Je marche à travers lui... c'est si doux ! Si vous saviez, c'est un océan de blancheur qui m'appelle et il y a une voix si belle qui résonne à travers lui... Elle prononce mon nom, sans cesse, sans cesse. Oh, mon Dieu... et il me semble la connaître... depuis toujours. Non... il n'y a pas un instant où je ne l'ai pas connue. Elle est au fond de moi depuis si longtemps...

Peut-être ne m'entendez-vous plus, mais je voudrais que vous sachiez, que vous disiez tout le bonheur... Je croyais être aveuglée par cette blancheur, si blanche, pourtant, il y a tant de joie en elle, tant de paix, qu'elle est un pansement pour toute mon âme. Je crois... je crois que je sors d'une grotte, d'un si long souterrain ! Est-ce vous qui tournez autour de moi ? Oh, ne jouez plus ! Je connais tout cela ! Je rentre chez moi, n'est-ce pas ? Il y a une odeur que je connais, une musique aussi au cœur de la lumière ! Mais pourquoi avais-je oublié cela, pourquoi ? Maman, c'est bien toi ? Tu m'attendais ? »

Un peu devant nous, dans le secret de la clarté virginale qui nous enveloppe, deux silhouettes sont apparues un instant puis ont immédiatement fusionné.

Il nous semble maintenant avancer au cœur du plus profond silence qu'il puisse être donné à une âme de goûter. Dans son écrin, rien ne nous paraît séparé de rien. Ce n'est pas une impression qui peu à peu éclôt, pas même une sensation mais une totale certitude, celle que l'univers se réduit à un point dans le sanctum de notre poitrine... et que tous les êtres y vivent dans un seul amour !

Soudainement, quelque chose dans la lumière éclate et se déchire, sans bruit, sans douleur et dans un immense soupir de paix.

Autour de nous a jailli un grand jardin gorgé de fleurs, une maison de pierres sèches perdue dans la lavande et une vieille barrière de bois. Une incroyable quantité de senteurs nous envahissent alors, puis tout se précise rapidement... quelques montagnes bleutées dans le lointain, une pinède où chantent les cigales et, tout là-bas, près d'un figuier, Elisabeth dans les bras d'une femme portant un chapeau de paille.

Immédiatement les pensées que toutes deux échangent viennent jusqu'à nous, comme si elles étaient nôtres, comme si elles voulaient absolument se livrer à nous afin qu'au moins quelqu'un sache... afin aussi que le partage les fasse croître plus encore.

Un bonheur que l'on ne chante pas n'est-il pas souvent un bonheur que l'on étouffe ?

« Tu... tu savais donc que je venais ? »

« Nous le savions tous... tu n'imagines pas à quel point nous sommes nombreux à t'avoir attendue. »

« Alors papa et... »

« Ils sont tous là, tous. Ils attendent juste que tes yeux se reposent un peu, que tu sentes l'herbe sous tes pieds, et que tu reconnaisses la lavande... la maison. »

« La maison ? Mais c'est là que nous habitions... j'en reconnais toutes les fenêtres avec leurs rideaux, les tuiles un peu roses et l'arcade avec... son églantier ; je ne m'en souvenais plus... et tu es si jeune ! Tellement plus jeune que moi... comme sur les photos lorsque j'étais petite. Aide-moi à comprendre... je suis si fatiguée... malgré tout ce soleil, toute cette vie, ce bonheur. Si fatiguée... »

« C'est pour cela que la maison est prête. Parce que c'est ta maison, celle dont tu n'avais jamais cessé de rêver, celle que tu idéalisais avec ton cœur d'enfant. Regarde, tu la retrouves parce que ton cœur la gardait en lui, à son propre insu, parce qu'un cœur peut tout recréer. Ici, c'est chez toi, chez nous, aussi longtemps que tu le voudras. Je crois qu'il te faudra dormir un peu. Il y a encore le grand lit avec le gros édredon de plumes à petits carreaux roses et blancs. T'en souviens-tu ? »

« Oui... oui, mais comment tout cela peut-il être ici ? »

« Ici ? Mais ici, c'est encore la Terre, Elisabeth... c'est l'âme de la Terre. Tout ce que tu penses existe à jamais quelque part en elle. Nous nous déplaçons en nous-même. Mais laisse... Tu as parcouru ta vie et il te faut sans doute dormir. »

« Je ne sais pas ; je me sens si paisible, si légère, comme si je respirais pour la première fois. Et puis, tu es là... comme avant, et il y a tant, tant d'images qui me reviennent en mémoire avec tant de parfums, de visages oubliés. Oh oui, il faut peut-être que je dorme. Ainsi, on dort quand on est mort ? »

« Mort ? Mais chasse donc ce mot... pourquoi parler de ce qui n'existe pas ? Nous faisons simplement des voyages, nous traversons des mers vers des régions de nous-même que nous ne connaissons pas. »

A quelques pas de nous, dans une aura de complicité, semblables à deux sœurs jumelles, la mère et la fille se sont alors mises à rire puis se sont à nouveau serrées l'une contre l'autre. Il y a des regards et des gestes qui sont si souvent au-delà des mots et qu'il faut savoir laisser s'exprimer !

Dès lors, nous savons que tout ne fait que commencer pour Elisabeth et qu'il nous faut décroître dans le rôle qui nous a été confié auprès d'elle.

La laisser au jardin de ses souhaits, de son besoin de repos, la confier à ceux qu'elle aime et qui achèveront de la réveiller... voilà désormais tout ce qu'il convient de faire, lui laisser à elle seule le secret de son histoire à venir. Ultimes pensées d'amour pour une amie qui s'est envolée...

Doucement, alors que nous nous apprêtons à rejoindre nos corps engourdis, nous voyons apparaître quelques silhouettes dans le jardin fleuri d'Elisabeth, des silhouettes vers lesquelles elle se met à courir et qui l'enserrent dans leurs bras. Y aura-t-il jamais de mots assez légers et fluides pour suggérer de tels instants ? Nous en retrouvons parfois l'essence au fond de nos rêves, lorsqu'au petit matin une étrange et douce nostalgie nous dilate le cœur.

Oui, il existe bien une autre contrée et mille autres rives dont nous sommes les héritiers. Elles ne sont ni plus

172

vraies ni moins vraies que celle qui nous a vu prendre corps en cette vie, mais elles sont là sur le chemin...

❤*❤*❤

Quelques semaines se sont écoulées depuis qu'Elisabeth a retrouvé son jardin au bout du long tunnel. Nous avons pensé ne jamais la revoir, persuadés que notre tâche s'arrêtait là, au seuil de sa nouvelle demeure et que notre témoignage prendrait ainsi fin. Mais voilà qu'au cœur de cette nuit, alors que les corps de nos consciences unies voguent vers d'autres horizons, la longue silhouette de notre amie vient nous rejoindre sans doute une ultime fois. Au milieu d'un éclat de lumière blanche, c'est d'abord la beauté de son visage qui nous frappe. Il est désormais celui d'une jeune femme fraîche et vive mais aussi et surtout, paisible et heureuse d'être tout simplement là. Sous le soleil de l'âme, ce visage jaillit telle une fleur solitaire et radieuse au milieu d'un champ de blé. Cette seule vision d'un bonheur retrouvé, ce seul contact de sourire à sourire nous suffiraient en guise d'au-revoir, mais il semble qu'Elisabeth veuille offrir encore un cadeau à la terre... Son cœur cherche à confier aux nôtres quelques ultimes paroles...

« Je voulais vous dire...Je voulais vous dire afin que partir n'effraie plus jamais... Depuis que je suis arrivée ici, au pays où la lumière n'a pas d'ombre, j'ai encore découvert tant de choses. Je croyais être au bout de ma propre route et voilà que cette route devient une continuelle et merveilleuse révélation. Alors, je veux que vous puissiez répéter tout cela afin que chacun sache. N'oubliez rien, je vous en prie...

Il n'y avait pas seulement ma mère, voyez-vous, qui m'attendait dans la lumière à l'autre bout du long couloir. Il y avait mon père, mon frère et tous mes parents et amis d'autrefois qui guettaient mon arrivée dans la maison... comme pour une vraie fête !

Et, mon Dieu, c'était une vraie fête ! Pouvez-vous imaginer un instant que vous soyez entourés de tous les êtres que vous avez chéris le plus au monde et qui ont disparu de votre vie depuis parfois longtemps, longtemps. Il y avait même Anita, ma meilleure amie lorsque j'avais dix ans, et que l'on a retrouvée noyée. C'était comme si nous n'avions jamais été séparées ! Tous savaient que je venais car, en ce monde, la pensée circule sans frontière. Elle est semblable à un souffle qui s'en va caresser tous les cœurs ouverts. Simplement, spontanément.

Oh, je sais, il y a tant de livres qui parlent de cela. J'en avais lu quelques-uns, sans doute comme tant d'autres à qui vous raconterez mon histoire. Je croyais avoir tout compris alors que pas un de leurs mots n'avait changé ma vie. Alors, dites bien qu'il faut chercher derrière les mots que, par vous, je veux offrir au monde, parce que je ne voudrais pas que ces mots demeurent des carcasses sèches, parce que s'ils pouvaient être un ferment pour l'espoir... Comment vous dire tout cela et tant d'autres choses ? De telles lueurs ont éclos dans ma conscience ! Par où commencer ?

...J'ai eu besoin de beaucoup dormir après avoir retrouvé toute ma famille que je croyais éteinte à jamais. J'ai dormi dans la maison de mon enfance, dans ce que mon souvenir en reconstituait parce que c'était le lieu le plus rassurant que je pouvais imaginer. J'ai dormi et j'ai rêvé... ou plutôt j'ai cru avoir rêvé car je sais bien maintenant que ce n'est pas un rêve, mais un autre visage de la réalité. J'ai vu deux beaux êtres de lumière qui venaient me chercher et me prenaient par la main jusque dans un lieu tout blanc. Je savais que c'était hors du temps, hors de tout, et que c'était la partie la plus fine de mon être, quelque chose de plus que l'ancienne Elisabeth qui vivait cela. Les êtres étaient bons, véritablement bons. Ils parlaient peu mais chacune des phrases qu'ils prononçaient trouvait un écho puissant en moi. Ils me disaient simplement d'avoir confiance et qu'ils étaient là pour m'aider parce qu'il y avait encore quelques plaies à panser en moi. Je n'ai pas douté d'eux un instant. C'était à la fois irréel et incroyablement concret, et je savais aussi que je n'étais capable de saisir qu'un tout petit aspect de ce qui se passait. Soudain, je me suis sentie réduite à la dimension d'un point dans l'univers et toute ma vie s'est mise à défiler devant moi, comme je l'avais vécue au plus profond de moi-même, mais aussi comme je l'avais fait vivre aux autres. Je me suis vue sortir du ventre de ma mère, hurlant dans mon berceau et guettant déjà malicieusement la moindre réaction de mes parents. Je me suis vue analyser la colère de ma mère tandis que je trépignais devant un objet inaccessible. Tout est revenu, dans le moindre détail, tout ; comme si toute ma vie avait été engrangée quelque part à mon insu, mais aussi jusqu'au fond de mes cellules.

Alors, j'ai compris la douleur que j'avais fait naître chez une petite fille de mon âge en lui volant son ballon dans une cour de récréation, la portée d'un premier mot rédigé d'une main malhabile et offert à mon père. Les anniversaires, les Noël en famille, les départs de mes parents, mes mensonges, mon adolescence, mes études, mon mariage, le métier que j'ai abandonné à contrecœur, tout cela et d'autres choses encore ont défilé devant mon âme, non seulement avec une vitesse incroyable mais encore avec une telle précision, une telle acuité dans le revécu ! J'ai réellement vu que c'était moi qui pesais ma conscience, que c'était moi seule qui observais mes ombres et mes lumières et personne d'autre. Lorsque je me suis retrouvée « éveillée » sous la couette à petits carreaux roses et blancs de mon enfance, j'ai senti à quel point quelque chose en moi avait changé. Je voulais grandir, je voulais... me lever au-dedans de mon être et aller vers quelque chose d'autre. Alors, je suis sortie dans le jardin, mais il n'était plus tout à fait semblable à celui de la Provence de mes jeunes années. Il y avait des bougainvilliers et des cactées à côté du figuier et une petite palissade de bois peinte en blanc. Surtout, il y avait mon chat, mon gros chat noir qui avait disparu un jour. Il semblait trouver tout naturel d'être là et je crois même l'avoir entendu me dire qu'il m'avait attendue. Ce n'étaient pas des mots mais des images qui s'échappaient de lui à travers l'émeraude de ses yeux.

Depuis, je sais que les animaux aussi sont ici, j'en ai vu des quantités, tous en paix, dotés d'une conscience, d'une tendresse que jamais on ne soupçonne. Dites-le bien, surtout, dites-le ! J'ignore combien de temps j'ai passé avec mon vieux chat. Tout est peut-être allé très vite... mais ici cela ne signifie pas grand chose. Nous vivons au rythme de notre sensibilité, de notre volonté d'apprendre la vie et de découvrir la quiétude... Cependant, lorsque je me suis retournée pour faire quelques pas et mieux comprendre, la maison n'était plus la même... c'était la maison toute blanche que vous avez connue, au bout d'une impasse, non loin de la plage. Il y avait déjà le bruit des vagues qui venait à moi et je me sentais étrangement bien dans ce lieu qui m'avait vue souffrir et contre lequel j'avais fini par me rebeller. Alors, j'ai cherché à m'asseoir dans le fauteuil blanc qui traînait sur l'herbe et j'ai perçu une présence derrière moi.

C'était quelque chose de rassurant qui me disait : "Tu vois, Elisabeth, c'est un peu cela se redécouvrir et se réconcilier avec soi. Tu recrées par les élans de ton cœur, les petits rayons de soleil, les nids douillets qui ont éclairé et abrité ta vie sur Terre. C'est ta pensée qui génère tout cela. La lumière de ce monde ressemble à une glaise que les élans du cœur pétrissent d'eux-mêmes. Pourquoi n'irais-tu pas plus loin ?"

Aller plus loin... je ne comprenais pas ce que cela signifiait. Je croyais enfin être arrivée chez moi et voilà que l'« on » me demandait d'avancer encore. J'avais besoin de solitude... comme si celle-ci était un ultime pansement posé sur les derniers flous de mon âme... et j'ai compris que ce seul besoin suffisait à éloigner de moi tous ceux qui m'étaient chers.

Aussitôt, ma demande a été ressentie et respectée. Alors, j'ai su que l'« on » ne me demandait pas absolument d'avancer, que la voix qui s'exprimait au fond de moi traduisait une simple suggestion, une sorte de conseil aimant venu d'un ami inconnu mais bien réel qui se cachait encore quelque part.

Je suis restée très longtemps étendue sur mon fauteuil blanc. J'y étais si bien malgré tout ce que je sentais se passer en moi ! Puis, à un moment donné, je me suis dit que je ne pouvais pas rester là, que cela ne correspondait à rien de ce que je souhaitais. Vivre comme dans mon passé, même sans tension, sans préoccupation, ce n'était décidément pas mon but. Enfin, j'ai vu Anita, mon amie d'enfance, franchir le portail du jardin et courir vers moi à cloche-pied ainsi qu'elle le faisait souvent autrefois. C'est cette vision qui a déclenché dans ma conscience un véritable choc. Naïvement, je lui ai dit :

"Mais comment se fait-il que tu conserves encore cette apparence de petite fille alors qu'il y a tant d'années... C'est idiot, tu te refuses à grandir ! Ne serais-tu pas mieux comme moi ? Nous pourrions avoir des conversations !"

Anita est partie d'un grand éclat de rire en m'écoutant dire tout cela d'un seul trait.

"Mais enfin, Elisabeth, fit-elle alors en se reprenant, ne comprends-tu pas ce qui se passe ? C'est l'état de tes pensées qui entretient le passé et recrée tous les décors de ta vie sur Terre. Si tu me vois ainsi c'est également parce que tu m'appelles à toi de cette façon, parce que tu ne peux pas me concevoir autrement, parce qu'enfin tu ne me reconnaîtrais pas. Tout ce que tu vois autour de toi est un décor qui est issu des ondes émises par ta conscience. Aujourd'hui, sur la Terre d'où tu viens, je crois savoir que l'on parle d'hologrammes. Eh bien, c'est un peu cela. Jusqu'à présent, comme la plupart de ceux qui viennent en ce monde, tu n'as pas pu faire autrement. Alors, ceux que tu aimes et qui t'aiment ont joué le jeu de ce décor. Ici, vois-tu, tu es encore presque semblable à un petit enfant qui commence seulement à apercevoir le monde au-delà de son berceau.

Cette maison est aussi encore un peu ton couffin. Elle est ta transition nécessaire avant que tu ne t'éveilles davantage."

"Mais je suis réveillée !" ai-je alors répondu en protestant.

"L'éveil n'est pas un état définitivement acquis, m'a répliqué sereinement Anita. Il est progressif et ne cesse jamais. Sans doute es-tu plus proche de la Lumière que lorsque tu luttais contre la matière de ton enveloppe physique, mais tu n'as encore qu'une très faible idée de l'ouverture lumineuse qui peut se créer en ton âme."

C'est alors qu'elle terminait ces mots que je me suis rendu compte de la disparition de la petite fille de mon enfance. Anita était devenue devant moi une belle jeune femme rousse. Elle s'était accroupie sur l'herbe et avait pris mes mains dans les siennes.

Soudain, dans ses yeux qui ne me lâchaient pas, j'ai été prise d'une joie si immense que j'ai cru que le bleu du ciel se déchirait au-dessus de moi pour laisser apparaître un autre ciel, tellement plus bleu encore, tellement plus fort, plus vrai !

Dites bien que tout cela n'est pas un conte et que seuls mes mots peuvent peut-être ridiculiser, déformer ou affadir l'intensité de ce que j'ai vécu... et de ce que je vis encore !

Dès cet instant, voyez-vous, tout a basculé pour moi et j'ai compris que ce qui nous attend au-delà de ce qu'on appelle la mort ressemble tout simplement dans un premier temps à l'espoir ou au non-espoir que l'on a dans le cœur.

C'est un écrin à l'image de nos aspirations et de notre pureté qui nous accueille et que nous entretenons nous-même... aussi longtemps que nous ne l'avons pas identifié.

Telle que je vous parle, j'ai rejoint ma vraie famille. Je veux dire que tous les êtres qui me sont chers ont pu reprendre autour de moi leur véritable dimension. Les liens qui nous unissaient ont déjà commencé à se modifier un peu. Comment vous dire ?... à s'élargir. Je m'aperçois qu'au-delà des rôles que nous avons joués sur terre, pour une vie, il y a une force tellement plus importante qui nous rassemble.

J'ai déjà rencontré quelques personnes qui, comme moi, viennent de mourir, et je me suis aperçue que nous avions suivi un chemin analogue, et que c'est seulement maintenant que nous découvrons le sens de la notion de fraternité. Les liens étroits, familiaux ou sociaux, et toutes les conventions qui en dérivent dans la matière physique se volatilisent ici les uns après les autres. Ils sont remplacés par des rapports que je sens de plus en plus authentiques, plus profonds, plus universels. Mon père est déjà en train de devenir un frère, un ami, un confident pour moi ; je le découvre comme il devait être vraiment au fond de lui-même, derrière le rôle et le masque qu'une vie lui a donnés.

C'est cela, ici, nous apprenons à oublier notre masque. C'est un apprentissage de la vérité et d'une plus grande simplicité. Je ne dis pas que tout soit parfait... car le monde dans lequel je vis aujourd'hui reste aussi, comme tant d'autres, à l'image de mon cœur et de celui de tous ceux qui me sont proches. C'est dire que je sais qu'il doit changer encore, s'élargir, s'embellir à l'infini, au rythme de la floraison de notre conscience.

Le Purgatoire ou l'Enfer ? Dites bien que ce ne sont pas des lieux au sens où on l'entend lorsque l'on a un corps de chair. Ce sont plutôt des états d'être que l'on génère autour de soi selon la lourdeur de notre cœur et d'où l'on finit toujours par s'extraire en appelant l'amour et l'espoir.

Le Paradis alors ? Lui aussi est un état d'être, mais ses horizons sont infinis. Je sais maintenant que chacun a déjà la possibilité de le créer en soi et autour de soi sur Terre. Ici, on prend simplement une bouffée d'air pur supplémentaire pour mieux se ressouvenir de notre but, de notre Soleil.

Je voudrais que l'on sache qu'en fait, le Paradis peut surgir partout si on le veut. Il est la matérialisation de ce qu'il y a de plus noble en nous et dont nous sommes responsables. Jamais, me semble-t-il, il ne sera à conquérir comme une terre promise pour laquelle il faut se battre. Il est plutôt à laisser croître en nous derrière nos réflexes ancestraux de tension et d'appropriation.

Oui, je suis réellement morte guérie, savez-vous ! Et ce ne sont pas des mots que je vous livre là. Ce sont les vibrations d'une certitude et de la découverte d'une joie dont je voudrais que s'imprègnent tous ceux qui doutent et qui souffrent. Qui souffrent souvent parce qu'ils doutent d'eux et de la Vie.

Je devine qu'en découvrant mes paroles, beaucoup vont se demander: "Et Dieu, l'a-t-elle trouvé, Elisabeth ? Qu'en pense-t-elle maintenant ?"

A ceux-là, je voudrais d'abord dire qu'Elisabeth ne se sent plus seulement « Elisabeth », mais bien autre chose qu'une simple femme qui s'est incarnée au XXᵉ siècle. Elisabeth se sent une cellule intelligente et aimante d'un grand être qu'on appelle l'Humanité et qui est lui-même une cellule d'un Etre infiniment plus grand que l'on peut appeler Dieu... Non, Dieu n'est certainement pas ce patriarche barbu et inaccessible qui récompense et punit. Ce n'est pas non plus ce doigt mystérieux venu du Ciel qui donne la grâce à certains et pas à d'autres.

Il me semble qu'Il est tout ce qui réside au-delà de l'émerveillement, de l'émotion, de la pensée et de l'amour humain. Il est... tout ce que je ne saurai jamais dire et que pourtant je sais parce que j'en reconnais la présence en moi ! Il est enfin bien au-delà des religions et de tous les dogmes que nous avons inventés avec mille prétextes.

Depuis que je suis nouvellement née, je vois cela si clairement ! Là où je suis, au milieu d'une nature aussi réelle que celle de la Terre d'où je viens, au cœur d'une nature qui respire une autre lumière, tant de choses m'apparaissent de façon si lucide que je sais déjà qu'il me faudra y développer un peu plus de tolérance en mon cœur. Cela vous surprend ? Mais il nous faut pourtant évoluer ici aussi...

Oui, un peu de tolérance envers les religions par exemple, apprendre à les respecter comme j'ai respecté la canne sur laquelle je me suis parfois appuyée pendant les dernières semaines de ma vie. Apprendre à devenir un peu plus adulte en acquérant sans cesse de l'altitude ! Mes erreurs et ma maladie me paraissent déjà si lointaines face aux horizons qui s'ouvrent... Tous ces méandres de ma vie, je les vois aujourd'hui semblables aux germes d'une compassion dont je commence seulement à entrevoir la signification. Ici, j'ai découvert de nouveaux amis qui m'aident à comprendre tout cela et je sais déjà que plus tard je leur ressemblerai... lorsqu'à mon tour je serai capable d'accueillir ceux dont on dit qu'ils meurent !

Je dois vous dire aussi que l'on m'a autorisée à voir Sonia trois ou quatre fois. Je l'avais souhaité afin de l'aider dans certaines décisions et aussi, je l'avoue, pour me rassurer un peu quant à sa vie. Je sais que cela peut surprendre lorsque je dis « autorisée », mais il y a ici une sorte de regroupement d'êtres semblable à une fraternité ou à un réseau fraternel qui nous facilite ou non l'ouverture de la porte vers la Terre, en fonction de notre équilibre et de celui des êtres que nous voudrions contacter.

J'ai compris qu'il n'était pas bon que je cherche à trop me rapprocher de la Terre parce que cela alourdirait, pour l'instant, mes pas encore si peu sûrs d'eux...

182

Et je peux dire qu'il en est de même pour beaucoup d'entre nous dans les premiers temps, même si nous demeurons toujours très proches de ceux que nous avons quittés et que nous tentons d'aider aussi souvent que cela se peut. Il y a tant de choses que je dois encore apprendre... ou désapprendre. Je me sens parfois telle une adolescente qui a tout à découvrir et qui a soif de tout !

Je crois que ma plus belle découverte ici, c'est l'abolition des barrières mentales. En effet, je m'aperçois à quel point tous les hommes et les femmes de la Terre se sont construit un monde d'impossibilités, un monde où tout est cloisonné et qui va donc à contre-courant de la Vie. Moi-même, j'ai été la première à m'empêcher de respirer à cause de vieilles conceptions éculées, à cause d'émotions basées en définitive sur l'égoïsme et la volonté de pouvoir sur les autres. Je me suis battue contre la Vie. Aujourd'hui, hors du temps terrestre, bien qu'encore si proche de lui, je voudrais qu'au moins mon erreur, qui est sans doute celle de beaucoup, puisse servir de base de réflexion, de source de croissance et surtout, surtout, qu'elle offre un immense espoir à ceux qui ne savent plus où ils en sont ni où ils vont.

Je commence seulement à admettre qu'un corps sur Terre est le plus beau cadeau qu'une âme puisse souhaiter. Mon unique regret, même si ici des horizons sans fin se révèlent à moi, est de ne pas m'en être aperçue plus tôt.

C'est cela qu'il faut que chacun sache ! Si le bateau de notre âme peut parfois prendre l'eau, il ne peut jamais, au grand jamais, couler ! Il est insubmersible parce que la Vie n'a pas de fin. Nous ne pouvons pas l'extirper de nous, elle ne peut pas s'enfuir de nous parce que nous sommes la Vie et qu'elle est intégralement et perpétuellement nous.

Je vois bien que de telles paroles auront pour certains l'allure et les relents d'un prêche, mais croyez bien que ce n'est pas avec un semblable état d'esprit qu'elles ont été prononcées. Dieu sait que les sermons et les grandes théories m'ont toujours relativement indifférée ! Aujourd'hui, simplement, je veux clamer la beauté de ma découverte, je veux que l'on sache que je touche du doigt une vérité et une lumière qui procurent le bonheur. Sans doute n'est-ce que mon niveau de vérité et de lumière, sans doute n'est-ce aussi qu'une porte entrouverte mais qu'au moins l'amour que j'y recueille puisse servir et inspirer le plus grand nombre.

Comme la majorité des hommes et des femmes qui habitent la Terre que je viens de quitter, dans le dédale de mes errances, je n'ai jamais eu la prétention d'être une créature spirituelle. Quelle erreur j'ai ainsi commise et quelle erreur nous commettons tous ! Nous nous laissons piéger par de vieilles conventions de langage. On peut se moquer de l'eau bénite, des prières et des mantras, on peut se gausser des églises, des temples ou des mosquées... peu importe puisqu'au fond de nous, nous cherchons tous l'amour, le bonheur, la sérénité et la lumière... qu'on se l'avoue ou non ! Et cela seul suffit à faire de nous des êtres spirituels ; tout le reste n'est que verbiage et détours de la pensée.

On vous demandera sans doute : "Avec tout cela, Elisabeth croyait-elle en la réincarnation ?" Alors, vous pourrez tout simplement répondre : "Elisabeth était séduite par la notion de réincarnation ; elle avait lu des livres qui en traitaient et elle les prenait au sérieux. Cependant, pour elle comme pour la majorité de ceux qui ont le courage de s'interroger sur la vie ou la mort, ces livres ne représentaient souvent guère plus qu'un assemblage de mots, de théories et de témoignages attrayants ou troublants. C'est-

184

à-dire qu'ils ne modifiaient en rien le cours de ses jours, qu'ils ne la rendaient pas meilleure. Alors ? Alors rien... si ce n'est qu'il a fallu la mort de son corps pour qu'elle se rende à l'évidence et commence à appréhender de plus près la réalité de la réincarnation.

En fait, aujourd'hui, là où elle se trouve, Elisabeth ne croit pas en la réincarnation car elle la vit, elle sait qu'elle est une loi naturelle. Elle n'a pas envie de la prouver, d'apprendre qui elle a pu être autrefois ni qui elle sera peut-être. Elle a déjà vu autour d'elle des âmes, des êtres, parfois ses amis, s'en retourner sur terre dans le ventre d'une mère. Elle le constate et sait que c'est bien ainsi, que cela continue d'être juste tant que les hommes et les femmes n'auront pas suffisamment appris à s'épurer et à s'aimer. Car il n'y a pas d'autre but à la Vie : l'apprentissage de l'Amour, la redécouverte de ses éternelles traces dans le saint des saints de notre cœur."

Voilà ce qu'il vous faudra dire de ma part. C'est le message d'une femme simple qui a déblayé en elle un chemin simple. Ce sera mon présent à une humanité que je n'ai pas souvent su aider comme il le fallait. C'est un bouquet de fleurs qui, je l'espère, sera reçu par tous ceux qui en ont un besoin urgent : ceux qui souffrent au fond d'un lit, ceux qui ont peur du grand passage, ceux qui ne savent pas comment tenir la main d'un proche qui s'en va... et enfin, tous ceux qui craignent la vie parce qu'ils n'en voient plus la direction.

A tous ceux-là, je dis : « Ouvrez votre cœur, respirez par votre cœur car il y a un être au fond de lui qui attend que vous le libériez, qui attend que vous lui fassiez confiance. Celui-là ignore ce qu'est la mort puisqu'il ne conjugue que le verbe aimer... »

C'est un dix-sept Mai, très tôt le matin, que la voix d'Elisabeth s'est ainsi figée en nous. Le corps de lumière de notre amie nous a alors enveloppés d'un dernier sourire... Puis plus rien. Elisabeth s'en est repartie silencieusement auprès de « l'autre rive », nous laissant avec un immense bonheur... celui d'avoir à vous offrir son espoir.

Quelques clés
pour l'accompagnement :

Conseils pratiques

On a beaucoup fait, ces dernières décennies, pour l'amélioration des conditions de naissance et d'accouchement mais, il faut bien convenir, en observant ce qui se passe dans nos sociétés occidentales, qu'il n'en est pas de même pour tout ce qui touche à la mort. Pour beaucoup, l'idée même de la mort demeure un tabou ou une source d'anxiété incontrôlable.

De plus en plus nombreux cependant sont ceux d'entre nous qui souhaitent que cet état de fait change rapidement. C'est donc à tous ceux qui ont vu naître ou voient naître en eux une nouvelle prise de conscience que ces lignes s'adressent... afin que les germes d'une autre compréhension du « passage » continuent de croître avec davantage de force. Pour changer nos rapports avec la mort il faut, bien sûr, accepter de modifier la compréhension que nous en avons.

En premier lieu, c'est l'idée de « défaite » qu'il faut abolir dès que l'on se trouve face à sa présence. La mort n'est ni un échec de la Vie, ni un échec de la Science. Elle est un état de fait naturel, aussi logique, aussi respectable et décent que la naissance ; elle est même une étape de cette Vie dont nous avons l'impression qu'elle s'éteint alors...

Quelles que soient ses raisons et ses conditions, il est temps nous semble-t-il, que la mort soit dorénavant vue, ainsi que nous l'avons souvent dit, comme « l'âme-hors ». Jeu de mots moins anodin qu'il n'y paraît au premier abord puisqu'il suggère toute l'étendue du phénomène et ce qu'il implique.

Précisons maintenant que les quelques conseils qui suivent ne sont nullement exhaustifs et constituent seulement une base de réflexion et d'action.

LES CONDITIONS PSYCHOLOGIQUES DE L'ACCOMPAGNATEUR :

L'équilibre: A-priori, chacun de nous en sa qualité d'être humain est doué d'un potentiel qui doit lui permettre d'accompagner autrui dans la mort. Dans la pratique cependant, il faut bien reconnaître qu'il en est souvent autrement, tenaillés que sont un grand nombre d'entre nous par d'ancestraux réflexes de peur.

La première des qualités requises pour pouvoir accompagner de façon saine celui qui part est donc d'avoir éliminé de soi, le plus possible, cette peur. La maîtrise de soi est primordiale car lorsqu'il se trouve face à un mourant, nul ne peut jouer la comédie, ni à lui-même, ni à celui dont il a momentanément la responsabilité. Nous voulons dire par cela qu'il peut y avoir un fossé considérable entre le fait de comprendre mentalement, intellectuellement, le sens de la mort à travers des lectures, et celui de se trouver seul, concrètement, face à l'action de cette mort. L'authenticité de soi par rapport à soi nous paraît donc indispensable dans une telle démarche. Il faut simplement être ou redevenir uni avec soi-même et par extension avec l'autre, en fait, apprendre à nous centrer en notre cœur.

L'équilibre émotionnel et mental constitue finalement la base souhaitable de tous ceux qui veulent servir dans ce sens. Il faut, bien sûr, avoir clarifié soi-même, dans toute la mesure du possible, son propre rapport avec la vie et la mort. Non pas forcément « savoir » pour avoir emmagasiné des tonnes de livres, mais « ressentir » ce qui se passe en profondeur, en apprécier au maximum tout le sacré et le respecter comme tel.

Cela ne signifie pas que l'accompagnement soit obligatoirement affaire de « professionnels ». En effet, qui pourrait parler de « profession » ou de « travail » puisqu'il s'agit d'un don de soi plus que de toute autre chose. La première des qualités requises, au-delà des connaissances, demeurera toujours, fort heureusement, la capacité d'aimer. Aimer inconditionnellement, c'est-à-dire, sans porter de jugement, sans projeter nos propres désirs ou inhibitions.

Et cela, nous en sommes tous capables. Il ne s'agit heureusement pas d'attendre d'être « parfait » pour proposer de l'aide à autrui lorsque la mort approche ! Nous dirons qu'il s'agit au-delà de tout ce qui a été évoqué, de demeurer honnête et aimant.

LES PIEGES A EVITER :

Accompagner ou guider ?
Entre ces deux notions la différence est grande ! Un guide indique nécessairement un chemin qu'il est censé

connaître tandis qu'un accompagnateur, comme son nom l'affirme, ne fait « qu'accompagner », c'est-à-dire proposer une épaule sur laquelle s'appuyer, un soutien, un conseil.

Tout guide indique par définition son propre chemin, sa propre piste, celle qu'il maîtrise et qui correspond donc à sa sensibilité mais qui n'est pas obligatoirement adaptée à autrui.

En ce qui concerne la mort, il en est de même. Ce que vous en connaissez ne correspond pas nécessairement à ce que réclame où à ce que peut supporter autrui. Guider peut donc signifier imposer notre propre vision, notre acquis. Accompagner, c'est au contraire se conformer à l'attente de l'autre, à son appel plus ou moins avoué. C'est s'ajuster à sa capacité de compréhension et au rythme de progression qui lui est propre. Tout cela se résume à une question de respect. L'accompagnateur peut, bien sûr, suggérer telle attitude plutôt que telle autre à celui qui « part », selon les ouvertures qu'il sent se dessiner ou les demandes qu'il perçoit. En suggérant on n'impose pas. Ainsi, pour prendre un exemple extrême, on ne demandera pas au mourant de se centrer sur son chakra frontal s'il est fermé à toute notion de ce type... On comprend aisément qu'on ferait naître en lui la confusion plutôt que la sérénité du mental.

Croyez-vous en Dieu, ou n'y croyez-vous pas ?

Peu importe car nul n'a rien à prouver à celui qui part. Les derniers instants ne doivent pas devenir ceux des sermons. L'unique préoccupation doit être celle de l'apaisement, car il semble certain que c'est au cœur de celui-ci que l'espoir et la confiance peuvent s'installer. Le respect des croyances de chacun demeurant, c'est certain, fondamental !

Silences et paroles.

Le langage des derniers moments de la vie doit donc s'approcher autant que cela se peut du langage universel que l'on appelle compassion. Il passe toujours par des mots simples mais aussi par des regards et même par une simple présence. Le silence peut parfois suffire et se substituer avantageusement à la parole. Tout devient là affaire de ressenti. *(Voir Chapitre III page 81).*

Ce silence est d'ailleurs une forme d'écoute dont il ne faudrait pas négliger l'importance car c'est lui qui permet bien souvent de toucher l'être subtil derrière la forme.

Lorsque l'échange verbal s'impose, et il est souvent réclamé par celui qui transite, tout l'art d'aimer consiste alors à savoir trouver le type de vocabulaire qu'il peut entendre. Il va de soi que ce sera toujours un vocabulaire qui n'enfonce pas les portes que l'on sent fermées, un vocabulaire mais aussi derrière lui une énergie qui suggère des clés d'apaisement. N'oublions pas non plus que le sens de l'ouïe est le dernier à s'estomper et que l'on peut souvent continuer à communiquer par-delà le coma. De nombreux témoignages l'attestent et notre propre expérience nous en a convaincus.

La neutralité :

On entend souvent parler de la neutralité de l'accompagnateur face au mourant. A notre sens, ce n'est peut-être pas ainsi que les choses devraient être présentées. En effet, nul ne nous semble jamais vraiment neutre... et heureusement. Chacun de nous émet son propre rayonnement ou si l'on préfère, un grand nombre d'ondes dont l'aura, par exemple, témoigne. Celui qui s'apprête à quitter son corps y est particulièrement sensible. Ce que nous sommes réellement, tout au moins dans l'instant, lui échappe souvent moins qu'à d'autres et suffit à gommer tout caractère de neutralité.

Notre volonté d'aider, notre chaleur, ce en quoi nous croyons définissent par conséquent la coloration de notre être, telle que nous l'offrons sans nous en rendre compte. Notre tâche consistera finalement à faire que cette coloration soit la plus limpide possible, c'est-à-dire non pas ambassadrice de nos désirs, mais attentive et ouverte à ceux du mourant. Seule une mécanique sait être neutre, mais quel intérêt dans ce cas présent ?

Etre humain au sens plein du terme, voilà ce qui nous est demandé.

QUELQUES ELEMENTS TECHNIQUES :

Ces éléments sont de simples suggestions. Il est évident qu'il n'est pas question d'en imposer l'application à ceux qui « partent ». Une fois de plus, tout est question de contact avec ces derniers, avec leurs croyances, leur ouverture, le contexte qui peut s'y opposer ou le rendre impossible (familial ou hospitalier) et en définitive, évidemment, la demande. Il va de soi également que ces conseils à caractère un peu technique ne constituent qu'un plus à l'acte d'accompagnement, un plus non négligeable qui demandera à la force d'amour de s'incarner différemment encore. Il ne s'agit évidemment pas d'imposer les mains à tel endroit ainsi que l'on donnerait machinalement un comprimé calmant. La qualité d'amour qui est requise dans ces pratiques, fort simples, doit seule agir à travers nous, tel un chef d'orchestre. Ce n'est donc pas nous qui agissons mais la Vie aimante à travers nous, le nom que nous lui donnons étant pure affaire de conviction personnelle. Précisons enfin que ces quelques pratiques ne s'adressent pas particulièrement à des thérapeutes. Chacun peut les employer si son cœur, sa générosité et les circonstances l'y poussent. Elles peuvent être utilisées quotidiennement et à chaque fois que le besoin s'en fait sentir ou qu'elles sont réclamées.

Pratique pour apaiser le contact avec la matière :

Elle facilite l'acceptation du corps devenu source de tourment.

– Placez-vous aux pieds de celui qui part.

– Posez en même temps la paume de vos deux mains sur la plante de chacun de ses pieds (par conséquent la main gauche sous le pied droit et la droite sous le gauche)

– A partir de la paume de vos mains, tentez de ressentir un rayon de lumière, frais comme une brise de printemps. Prenez conscience que ce rayon va pénétrer à l'intérieur des deux jambes et monter jusqu'au bassin. La pénétration se fera essentiellement par les talons, comme un courant réclamé par le corps.

Si le mourant est un être particulièrement ouvert et conscient, sa participation sera une aide supplémentaire. *(Voir au Chapitre II le témoignage d'Elisabeth page 53).*

Cette pratique peut s'étendre sur trois ou quatre minutes. Bien qu'elle soit d'une simplicité déconcertante, elle n'en est pas moins d'une efficacité non négligeable. Dans certains cas, elle peut faciliter la libération de quelques larmes généralement suivies d'une sensation de paix.

Pratique visant à la décrispaton du mental :

– Derrière chaque oreille, il convient de localiser une zone généralement en creux située aux deux tiers de la hauteur de la nuque.

Ces deux zones centralisent pendant les périodes d'anxiété ou d'agitation mentale ce qu'il est convenu d'appeler des « scories » éthériques, qui freinent à leur façon l'allègement de la conscience.

Après les avoir situées et surtout ressenties du bout des doigts, on peut les masser légèrement et régulièrement dans le sens inverse des aiguilles d'une montre. Cette action simple active et libère tout un fin réseau de circulation éthérique (un ensemble de nadis) dont les prolongements ont une incidence sur l'harmonie du centre frontal appelé « troisième œil » ou « ajna ».

Cet acte de libération ou de détente facilite la dissolution de certaines formes-pensées à caractère obsédant et favorise une perception plus limpide des choses.

– On peut achever cette pratique en plaçant la main gauche ouverte sous la nuque tandis que la droite, ouverte également, se pose sur le front, sans peser. *(Voir le témoignage d'Elisabeth Chapitre II page 53)* Une fois de plus, le résultat dépendra essentiellement de notre qualité d'être intérieure. Il faut bien sûr se trouver soi-même, dans toute la mesure du possible, dans une position physique confortable qui nous laisse totalement dispos. On peut parfaitement accomplir cet acte en priant en silence selon sa propre foi, ou même parler intérieurement au mourant au gré de notre cœur. Une telle attitude ne constitue pas un « détail annexe », elle appelle une énergie bien au-delà de notre petit vouloir humain et avec laquelle il faut compter dans tous les cas.

Pratique visant à calmer les situations émotionnelles :

Elle se décompose en deux temps et s'annonce également d'une grande simplicité.

– Nous plaçons tout d'abord une main ouverte (sans écarter les doigts) sur le troisième chakra (plexus solaire) de celui que nous voulons aider. Simultanément nous positionnons l'autre, de la même façon, sur sa gorge. Aucune des deux mains ne doit exercer de pression. Un simple contact physique suffit. Intérieurement, tentez alors de ressentir à quel point les deux zones du corps que vous touchez deviennent unies à travers vous. Vous pouvez également visualiser un faisceau de lumière argentée circulant de l'une de vos mains à l'autre en passant par votre cœur.

L'idéal est de parvenir en même temps à respirer au rythme de l'être que vous tentez de soulager. Cependant cela ne doit pas constituer un motif de concentration ou d'attention susceptible de vous faire perdre de vue l'essentiel : à savoir que c'est la Force de Vie et d'Amour qui opère à travers vous et offre son baume de sérénité.

– Dans un deuxième temps, celle de vos mains qui se trouvait au-dessus de l'ombilic viendra doucement se placer au centre de la poitrine (en fait, sur le chakra du cœur), tandis que l'autre demeurera sur la gorge. Le même processus de visualisation se mettra alors en place, toujours sans effort, de la façon la plus aimante possible.

Pratique visant à réconcilier l'être avec lui-même :

Il s'agit d'une méthode demandant un minimum de participation de la part de celui que l'on aide et qui facilite une ouverture douce et harmonieuse du chakra cardiaque.

Elle favorise la compassion et une compréhension plus détachée de la situation.

– Nous posons la main droite ouverte au centre de la poitrine de celui qui est allongé près de nous. Nous prenons sa main gauche et nous la posons sur notre main droite. Ensuite nous mettons notre main gauche sur les deux premières tandis que la main droite de l'être que nous aidons vient enfin se placer au-dessus des trois autres. C'est l'alternance et la communion des énergies qui vont ouvrir la porte à un flot d'amour qu'il ne faudra pas hésiter à appeler intérieurement.

Cette pratique faite en conscience et surtout avec tendresse peut également faire surgir quelques larmes de détente qui clarifient la situation.

LES ELEMENTS EXTERIEURS :

Il s'agit globalement parlant, du « décor » et donc de l'ambiance, visuelle, auditive, olfactive de la pièce dans laquelle l'accompagnement a lieu. Tout cela est nécessairement conditionné par un contexte que l'on ne maîtrise pas souvent et auquel il faut s'adapter.

– *Le contexte hospitalier.* De toute évidence, il limite considérablement la mise en place d'un décor apaisant. Il privilégie, sauf exception rare, l'anonymat et tend par conséquent à uniformiser les circonstances d'un passage qui, par définition, devrait être adapté à chacun.

La chaleur de l'accompagnateur devra donc se substituer à celle, manquante, des lieux car il serait étonnant que l'on vous laisse mettre en place des éléments de décor susceptible de favoriser le départ. Tout au plus l'apport de quelques objets personnels appartenant au mourant et qui évoquent des événements heureux de sa vie sont envisageables (par exemple des photos, un cadre).

Rien ne servirait de se heurter au personnel hospitalier qui, dans l'immense majorité des cas, n'est pas encore préparé à considérer la mort différemment, bien que des prises de conscience isolées et de plus en plus nombreuses aient lieu.

Ce qu'il faut avant tout préserver, c'est la quiétude de la chambre. Par « quiétude » nous ne voulons pas dire nécessairement « silence » mais « harmonie ». En effet, celui qui part a plus souvent besoin qu'on ne le croit d'une ambiance auditive « vivante, gaie et confiante » que d'un « silence religieux » qui a tendance à l'isoler à l'excès. Là encore il faut apprendre à percevoir le besoin de celui que l'on accompagne et ne pas réagir selon des stéréotypes du style « il va mourir, donc c'est triste, donc il faut une mine de circonstance, un timbre de voix à peine audible et forcément plaintif. »

Les éléments dominants doivent être *douceur* et *tendresse*. Si on ne peut les procurer au regard, chacun peut au moins les offrir à l'ouïe.

– *Le contexte familial* : C'est celui qui est préférable dans la plupart des cas puisqu'il réintègre le mourant dans « son décor », celui qu'il a peut-être créé ou tout au moins celui auquel il est habitué et qui constitue en cela un point de repère, un élément stable. Les odeurs multiples de la vie d'une maisonnée, ses bruits familiers, sa lumière particulière, le contact physique avec certains objets, constituent autant d'éléments qui sont des soutiens non négligeables pour un départ paisible. Isoler un mourant de tout élément qui évoque vie et gaieté (à moins évidemment que celui-ci ne réclame un tel isolement ou qu'une souffrance physique l'impose) nous paraît être une erreur fondamentale.

Rappelons-nous que la mort n'est autre qu'une transition et que si elle réclame calme et sérénité elle n'appelle en rien à une pétrification de toute forme de vie. Il faut la débarrasser une bonne fois pour toutes de son masque morbide, dans l'intérêt non seulement de ceux qui « partent » mais aussi de ceux qui «restent».

– Pourquoi éliminer systématiquement toute ambiance musicale ? La musique peut alléger, voire purifier l'atmosphère d'un lieu. De préférence on choisira des compositions qui ne sont pas bâties sur des rythmes binaires, c'est-à-dire dont l'effet n'est pas celui d'un martèlement (donc d'une dualité) mais au contraire d'une avance.

Il faut savoir également que plus une orchestration est de type symphonique plus elle touche le principe élevé qui est au cœur de l'être. La rythmique s'adresse au physique, la mélodique à l'âme, aux émotions, et la symphonique à l'esprit. Nous livrons ceci à la réflexion de chacun, sachant toujours que la règle d'or consiste à respecter les souhaits de celui que l'on accompagne...

– Nombreux sont ceux qui s'interrogent sur l'utilisation de l'encens. Il ne nous semble guère possible de répondre de façon rapide et succincte à une telle question. En effet tout dépend, d'une part du type d'encens choisi, d'autre part de la personne que l'on est en train d'accompagner.

La fonction première d'un encens est d'élever le niveau vibratoire d'un lieu, de le purifier des miasmes éthériques et donc de faciliter l'élévation de conscience des êtres qui y vivent. Un bon encens répond à ces qualités. Or il faut

198

bien reconnaître que la majorité d'entre nous ne choisit son encens qu'en fonction du parfum que celui-ci dégage. Ainsi, un encens est réputé bon lorsqu'il flatte l'odorat, trop peu soucieux que nous sommes de savoir quel effet il a réellement sur nous. Un certain nombre d'encens attrayants comportent des éléments d'ordre chimique plus toxiques que purifiants. Il faudra donc s'en préserver en se faisant conseiller. A titre d'exemple, citons comme tout à fait favorables aux thérapies et à l'accompagnement, certains encens tibétains lesquels, bien qu'étant très discrets pour l'odorat, n'en demeurent pas moins très efficaces en matière d'apaisement.

Il s'agit maintenant de savoir si l'être qui demande à être accompagné tolère la présence d'encens. Ce n'est pas obligatoirement le cas et nul ne peut se permettre d'imposer un peu d'encens sous prétexte d'élever le niveau vibratoire d'un lieu. Les intolérances et les allergies sont moins rares qu'on ne le croit.

L'encens, d'autre part, évoque parfois une ambiance de « religiosité » susceptible d'indisposer, pour de multiples raisons, celui que l'on est en devoir d'aider. Il faut donc se soucier de ce dernier élément car à vouloir trop bien faire...

QUE PENSER DE LA PRIERE ET DE LA MEDITATION ?

Elles constituent à notre avis deux éléments fondamentaux de l'accompagnement aux mourants, que celui-ci se pratique à domicile ou en milieu hospitalier. La règle d'or nous paraît être celle de la discrétion et du respect de la confession de celui qui part. *(Voir chapitre page 113)* Ne nous méprenons pas cependant sur le sens de notre prière ou de notre méditation. L'une comme l'autre ne génèrent pas des forces anodines et il ne nous appartient pas de les orienter pour satisfaire notre volonté personnelle. Il nous semble qu'elles doivent constituer avant tout un appel à la Lumière, un dialogue intérieur avec celle-ci et avec l'être que l'on aide. Le sens d'une maladie, d'une souffrance, d'une vie, d'une mort ne seront jamais nos possessions. Contentons-nous donc simplement, avec cœur, d'être des leveurs de barrières et remettons-nous en dans ces instants à ce qu'il convient d'appeler « l'aide et la volonté divines ». La force que l'on y puise se substituera toujours aisément au mot que l'on ne trouve pas, à la main que l'on ne peut imposer à tel endroit et à tel décor que l'on n'est pas en mesure de recréer.

Prière et méditation sont d'autre part des forces tellement discrètes qu'aucun contexte ne peut les censurer !

En ce qui concerne les athées, un dialogue intérieur, silencieux, peut réellement être engagé avec eux. D'une manière générale la conscience d'un mourant expérimente souvent et avec pénétration la télépathie. Ainsi, des mots simples, porteurs de tendresse et de soleil, auront la valeur d'une prière à laquelle les athées accepteront de goûter.

Les véritables athées sont, d'autre part, certainement moins nombreux qu'on ne le pense...

UNE AIDE PRECIEUSE : L'HUILE.

On connaît de mieux en mieux aujourd'hui les vertus des huiles essentielles de plantes, non seulement sur le corps physique mais aussi sur les corps subtils.

200

— A ce propos, il nous paraît intéressant de signaler l'existence de l'huile essentielle de « pruche » (Tsuga canadiensis) dont l'action s'adapte particulièrement bien à l'accompagnement aux mourants. La pruche est un grand conifère nord-américain dont l'huile essentielle facilite considérablement la libération de toutes les énergies mentales crispées. C'est une huile de transition au sens premier du terme car elle tend à ouvrir les portes supérieures des corps subtils, facilitant ainsi le passage d'un état de conscience à un autre, plus vaste. Son action est rapide. On l'utilise en petite quantité, en massages lents et délicats à la plante des pieds ou sur le chakra laryngé. *(Voir références en fin d'ouvrage)*. Hors de ce contexte, elle est par ailleurs adaptée à des cas de crispation mentale.

— Une autre huile spécifique est également à signaler. Ce n'est pas, quant à elle, une huile essentielle. Elle résulte d'une élaboration basée sur les vertus de plusieurs plantes. Son action libérante s'avère à la fois douce et efficace. Il s'agit de « l'huile de passage » *(références en fin d'ouvrage)*.

Il va de soi que l'application des huiles ne peut se concevoir dans l'état actuel des choses que dans un contexte familial. A notre connaissance tout milieu hospitalier s'y oppose fortement.

Nous sommes, pour notre part, convaincus que dans un avenir assez proche le contenu de ce livre et d'autres ouvrages analogues, constitueront un B.A.BA que nul ne songera à contester. Il nous paraît également évident que cette mutation des consciences s'opérera par « la base » du personnel médical, en prise quotidienne avec certaines réalités et certaines constatations impossibles à nier. L'attitude des familles de ceux qui partent peut aussi grandement contribuer à cette métamorphose devenue indispensable.

APRES LE DEPART :

Nous ne dirons pas que tout ne fait que commencer mais presque... Dans tous les cas, à notre sens, le travail de l'accompagnateur doit se poursuivre avec la même intensité après la mort. Même si l'exemple d'Elisabeth demeure un cas parmi des millions d'autres, il ne faut jamais oublier que la conscience du décédé reste présente autour de sa dépouille physique pendant les heures et jours qui suivent la séparation des principes. C'est un réflexe de l'être dans l'immense majorité des cas. L'engourdissement total, bien que momentané, de l'âme ou son ascension très rapide, constituent des exceptions qui ne dispensent d'ailleurs nullement de l'accompagnement.

Partant de cette connaissance, il serait donc regrettable que l'aide cesse dès l'instant où la mort du corps physique est constatée, ce qui est encore trop souvent le cas au sein de certaines associations ayant justement pour vocation l'accompagnement.

N'oublions pas ceci : Quelle que soit la chose à laquelle nous pensions — et l'éloignement physique n'intervient pas — le décédé est en mesure de la capter en nous. Dès lors, le fait d'entretenir un dialogue avec lui, le fait de continuer à lui offrir notre amour, tout cela est perçu par lui et constitue un « potentiel » à la fois moral et énergétique susceptible de l'aider. Après la mort, sachons donc continuer à trouver les mots simples et adaptés qui serviront, si besoin est, de fil d'Ariane, à celui qui nous a quittés.

— Il convient surtout d'éviter au maximum toutes les manifestations de douleur. Celles-ci, même si elles sont évidemment compréhensibles, ne peuvent qu'entraver, re-

202

tarder, le départ juste et serein de l'âme. Elles abaissent notablement le taux vibratoire du lieu et la lourdeur qui s'en dégage agit de même sur le corps de la conscience de celui que l'on veut aider... ce qui n'est évidemment pas le but.

Les forces que nous avons déjà évoquées précédemment à savoir, la prière et la méditation, parce qu'elles aident chacun de nous à se centrer, pourront réellement participer à l'équilibre de la situation, pour peu qu'on ne les revête pas d'un côté solennel souvent propre à générer l'ennui et la tristesse.

– La traditionnelle veillée est toujours souhaitable mais il faut souligner qu'elle ne doit pas, dans toute la mesure du possible, se transformer en un moment de douleur et devenir « funèbre ». Elle doit se situer avant tout au niveau d'une offrande d'amour. Son but est de générer une graine d'espoir à celui qui est parti si celui-ci en manquait.

Ce que cherche l'âme du décédé c'est toujours l'authenticité, la simplicité, la spontanéité et évidemment l'amour constructif. Chacun de ces éléments revêt un aspect vibratoire qui devient une force extrêmement concrète dès que l'on a abandonné le monde de la chair.

– Dans l'idéal, il serait souhaitable de toucher le moins possible le corps du défunt pendant les trois jours qui suivent la mort. Les contraintes de notre société rendent souvent cela difficile. Il n'y a pas lieu de s'en inquiéter. Même si la totalité des énergies éthériques a effectivement besoin de trois jours pour s'extraire intégralement du physique (organe après organe), la corde d'argent, quant à elle, est irrémédiablement rompue et permet à l'âme de poursuivre son chemin selon sa propre maturation, même si les liens énergétiques secondaires subsistent encore.

Il faut savoir, d'autre part, qu'un corps éthérique met globalement une quarantaine de jours à se dissoudre dans l'univers qui est le sien après la mort de l'organisme physique. Tant qu'il n'est pas intégralement dissout et que les particules qui le constituent n'ont pas rejoint les différents éléments de la nature, il existe encore un fil conducteur, parfois tenace, entre la conscience et le monde quotidien dans lequel elle évoluait. La cérémonie religieuse traditionnellement célébrée quarante jours après un décès résulte de cette connaissance. Elle facilite, si cela n'est déjà fait, une libération définitive de la conscience de l'être par rapport à ses habitudes et à ses attaches matérielles.

Une pensée, une prière commune ou individuelle peuvent donc constituer à ce moment-là une aide ultime à celui que l'on a accompagné. Il ne s'agit ni d'une superstition ni de l'attachement à un dogme particulier mais de la compréhension particulière d'une loi de « physique subtile ».

L'ACCOMPAGNEMENT DE LA FAMILLE :

Il est pratiquement aussi important que celui que l'on offre au mourant. En effet, humainement parlant, peu de familles conçoivent sereinement le départ d'un de leurs membres, quelles que soient leurs convictions métaphysiques ou religieuses. Ce manque de sérénité qui parfois se transforme en refus ou en révolte, constitue, on s'en doute, un véritable poison non seulement pour certains membres de la famille mais aussi pour celui qui va partir et qui est, de ce fait, pris plus ou moins consciemment dans une vague d'angoisse. Lorsque cela est possible, accompagner la famille ne constitue donc pas un « plus » mais quelque chose de fondamental. Le travail à accomplir ressemble beaucoup, en son principe, à celui concernant le mourant lui-même. Tout est dans le mot juste qui va engendrer la décrispation, ou dans le regard aimant et l'attitude générale de compassion. Rien ne sert là non plus de vouloir prouver quoi que ce soit. Il faut seulement tenter de semer en acceptant d'emblée la possibilité de ne pas pouvoir récolter.

Il nous semble ici que tout discours supplémentaire soit superflu car dans ce domaine l'attitude juste devient affaire de cœur.

Nous ajouterons simplement que nous croyons aux vertus de la vérité et qu'il ne nous semble pas souhaitable de nier l'approche d'une mort lorsque celle-ci est devenue par trop évidente sous prétexte que l'on veut « éviter de faire de la peine ». La peine réside dans le mensonge et le réconfort prend son essor dans l'authenticité de l'amour et de la présence que l'on propose. La mort n'est pas une fin, nous le répétons, et il faut tout faire dans le respect des croyances de tous, pour que cette vérité soit intégrée au mieux dans le cœur de la majorité d'entre nous.

Il est certain que l'ensemble des conseils que nous avons consignés ici ne constitue qu'une base de travail, de réflexion et surtout de service. Ces pages ne sauraient par conséquent se substituer à une pratique directe auprès des personnes « en phase terminale » ou à une aide à domicile chez des proches, auprès d'un parent, d'un ami.

Il existe un certain nombre d'associations ou de regroupements qui visent à une formation de l'accompagnateur.

Chacun peut donc s'en rapprocher s'il désire offrir de son temps pour ce service hors d'un cadre purement familial. Sachons seulement qu'elles sont d'un intérêt très inégal quant à l'optique qui est nôtre, leur ouverture d'esprit et leur volonté d'aller de l'avant étant très variables. Certaines pourront ainsi réfuter et rejeter le témoignage qui constitue la matière de cet ouvrage, car la crainte de l'inconnu est un obstacle difficile à dépasser.

La « neutralité » totale de l'accompagnateur est l'argument qui revient le plus souvent dans un semblable cas mais nous craignons qu'elle ne finisse par devenir un élément de stagnation. Il est évident qu'il est déjà beau de se montrer tout simplement « humain » mais n'est-ce pas là le minimum ?

Nous ne pouvons oublier que chacun de nous est habité et sollicité par le « supra-humain ». Au-delà des querelles de mots et d'appartenance, c'est vers lui que nous nous dirigeons et non pas vers le cul-de-sac que serait l'apparition sur terre, brève et sans lendemain, de chacun de nous.

OU S'ADRESSER ?

STAGES DE FORMATION SUGGERES :

Kyra Schirinsky
* *Stages d'accompagnement :*
        Association Rivage
        La Beylie - 24 580 Plazac
        Tél. 53 50.70.43

* Stages pour se préparer au mourir dans tous les sens du terme :

 « Terre de Printemps »
 Le Tucol - Vazerac
 82 220 - Molières
 Tél. 53 51.09.91 ou 53 50.57.01

Docteur Chevaisnes
* Stages d'accompagnement :
 Dagpo Kagyu Ling
 BP 2 - 24 20 St Léon sur Vézère
 Tél. 53 5O.70.75

Bernard Leblanc-Halmos
* Stages « La mort, à quoi ça sert ? » :
 Maison Neuve
 24 290 - Valojoux
 Tél. 53 5O.79.73

Marie de Hennezel
* Stages d'accompagnement :
 26 rue Bouloi
 75 001 - Paris

OU SE PROCURER LES HUILES :

HUILE DE PRUCHE :

En France : Association Terre de Jor
 24290 - St Léon sur Vézère
 Tél. 53 5O.57.01

Au Québec :   Michael Zayat
CP 704 Bromont
Canada JOE ILO (Québec)
Tél. (16-1-514) 534.1671

HUILE DE PASSAGE :

L'huile de passage destinée à accompagner les mourants regroupe les énergies suivantes :

bouleau pour adoucir,
hêtre pour apporter la sérénité,
aubépine pour recentrer les énergies,
sapin pour que le passage soit fluide,
églantine pour aider à l'ouverture au nouveau plan de conscience,
genêt pour aider au renouveau du passage.

Vous pourrez trouver ces huiles :

en Suisse :   Monique Fonjallaz
En Bornalet
1098 - Epesses
Tél. : 021 / 799.25.00

en France :   « Au Pays des Merveilles »
Domaine des Courmettes
Tourettes sur Loup
06 140 - Vence
Tél. : 93 59.25.88

aux USA
et Canada :   Joy Messick
P.O Box 99651
Troy Michigan
480 99 - USA
Tél. : 815 / 649.72.98

LIVRES UTILES :

– Tous les livres d'Elisabeth Kübler-Ross, notamment
« *La mort est un nouveau soleil* »
(Ed. du Rocher),
« *La mort et l'enfant* »
(Ed. du Tricorne).

ASSOCIATION ELISABETH KÜBLER-ROSS FRANCE
31, avenue Théophile Gautier
75 016 - Paris

« *La Porte Oubliée* »
de Anya Foss-Graber *(Ed. Amrita).*

« *Savoir mourir* »
de Michel Coquet *(Ed. l'Or du Temps).*

« *L'amour ultime* »
de Marie de Hennezel et Johanne de Montigny
(co-auteur) *(Ed.Hatier).*

« *Mourir accompagné* »
du Dr Sebag-Lanoé *(Ed. Desclée de Brower).*

209

« Voyage au bout de la vie »
de Bernard Martinot *(Ed. Balland).*

« Bonjour des enfants de l'au-delà »
de Jacqueline Paulus *(Ed. F. Lanore).*

Centre d'accompagnement en cours d'ouverture au Québec et dont les responsables sont proches de notre témoignage :

CENTRE TERRE D'EMERAUDE

Mᵐᵉ JUDITH LARIN

117 boulevard du Havre

Valleyfield, Québec J6S 1R6 - Canada

DEJA PARUS AUX EDITIONS AMRITA

de Anne & Daniel Meurois-Givaudan
Récits d'un Voyageur de l'Astral
Terre d'Emeraude, *Témoignage d'outre-corps*
Le Voyage à Shambhalla, *Un pélerinage vers Soi*
Les Robes de Lumière, *Lecture d'aura et soins par l'Esprit*
De Mémoire d'Essénien, *l'autre visage de Jésus - tome 1*
Chemins de ce Temps-là, *De mémoire d'Essénien - tome 2*
Par l'Esprit du Soleil
Les Neuf Marches, *Histoire de naître et de renaître*
Sereine Lumière, *Florilège de pensées pour le temps présent*
Wésak, *l'heure de la réconciliation*

de Michel Coquet
Israël, *terre sacrée d'initiation*
Le Maître Tibétain - Djwal Khool, *sa vie, son œuvre*

de Jean-Charles Fabre
Maison entre Terre et Ciel

de Christine Dequerlor
Les Oiseaux Messagers Cosmiques

d'Yvonne Caroutch
Giordano Bruno, *le volcan de Venise*

de Dee Brown
Enterre mon Cœur

de Serge Reiver
D'Etoile en Etoile

de Geneviève Segers-Salvatge
Le Guide du Rêveur

de Goswami Kriyananda
La Science Spirituelle du Kriya Yoga
Guide pratique de méditation

de Vicente Beltran Anglada
Rencontre avec l'Agni Yoga

de Mary Lutyens
Krishnamurti, *Les Années d'Accomplissement*
Krishnamurti, *La Porte Ouverte*
Vie et Mort de Krishnamurti

de Johfra
Astrologie, *les signes du zodiaque*

de Ellen Lórien , Johfra et Carjan
Elfes, Fées et Gnomes

de Luis Miguel Martinez Otero
Fulcanelli, *une biographie impossible*

de Robert Frédérick
L'Intelligence des Plantes

de Meir Schneider
Histoire d'une Autoguérison,
Expérience et méthode de revitalisation

de J. Bernard Hutton
Il nous guérit avec ses Mains

d'Ayocuan
La Femme Endormie doit Enfanter

de Jean-Pierre Morin & Jaime Cobreros
Le Chemin Initiatique de Saint Jacques

de George Hunt Williamson
Les Gîtes Secrets du Lion

de Peggy Mason & Ron Laing
Sathya Sai Baba, *L'incarnation de l'amour*

de Anya Foos Graber
La Porte Oubliée,
Une alternative intelligente aux derniers moments de la vie

de Ferdinand Ossendowski
Bêtes, Hommes et Dieux

de Max Guilmot
Les Initiés et les Rites Initiatiques en Egypte Ancienne

de Johannes von Buttlar
La Déchirure du Temps

de Edward Carpenter
Une Maladie nommée Civilisation, *sa cause et son remède*

de Joseph Stroberg
Urane, *l'éducation et les lois cosmiques*

de Sathya Sai Baba
108 paroles de Sathya Sai Baba,
Coffret de 108 cartes pour répondre au quotidien

de l'Atelier Orawen
Présence en Secret,
Prières, louanges et invocations du monde entier

de Alberte Moulin
Libère ton Soleil

de Gary Kinder
Les Années Lumière, *une troublante enquête sur les contacts
extraterrestres d'Eduard Meier*

de Aster F. Barnwell
Le Chemin des Cimes,
Un itinéraire quotidien vers l'illumination

de Joël Jeune
La Planète des Fleurs

de Yannick David
Une Maison pour mieux Vivre

de Kenneth Meadows
Médecine de la Terre

de Giancarlo Tarozzi
Reiki, *énergie et guérison*

de Cayetano Arroyo de Flores
Dialogues avec Abul-Beka

de François Roussel
Les Contes de Fées, *lecture initiatique*

de Jean-Yves Pahin
Le Baptême d'Esprit, *souvenirs Cathares*